# 데미안

**Demian**

'뢰베(사자)'라는 이름의 고양이와 함께

세계문학전집 **44**

# 데미안

### Demian

**헤르만 헤세**

전영애 옮김

민음사

## 차례

내 속에서 솟아 나오려는 것,
바로 그것을 나는 살아 보려고 했다.
그러기가 왜 그토록 어려웠을까?

내 이야기를 하려면 훨씬 앞에서부터 시작해야 한다. 할 수
만 있다면 훨씬 더 이전 내 유년의 맨 처음까지, 또 아득한 나
의 근원까지 거슬러 올라가야 하리라.

작가들은 소설을 쓸 때 자기들이 하느님이라도 되듯 그 누
군가의 인생사를 훤히 내려다보고 파악하여, 하느님이 몸소
이야기하듯 아무 거리낌 없이 자신이 어디서나 핵심을 집어
내 써 낼 수 있는 양 굴곤 한다. 나는 그럴 수 없다, 작가들이
그래서는 안 되듯이. 그리고 내게는 내 이야기가, 어떤 작가에
게든 그의 이야기가 중요한 것 이상으로 중요하다. 나 자신의
이야기이기 때문이다. 또한 그것은 한 인간의 이야기, 즉 어떤
가공의 인물, 있을 수 있는 인물, 이상적인 인물, 어떻든 존재
하지 않는 인물이 아니라 현실적이고 일회적인, 살아 있는 인
간의 이야기이기 때문이다. 아무튼 현실적으로 살아 있는 인

간이란 무엇인지, 지금은 그 어느 때보다도 더 혼미해져 버렸다. 하나하나가 자연의 단 한 번의 소중한 시도인 사람을 무더기로 쏘아 죽이기도 한다. 만약 우리가 이제 더 이상 단 한 번 살 수 있을 뿐인 소중한 목숨이 아니라면, 우리 하나하나를 총알 하나로 정말로 완전히 세상에서 없애 버릴 수 있다면, 이런저런 이야기를 쓰는 것도 아무런 의미가 없으리라. 그러나 한 사람 한 사람은 그저 그 자신일 뿐만 아니라 일회적이고, 아주 특별하고, 어떤 경우에도 중요하며, 주목할 만한 존재이다. 세계의 여러 현상이 그곳에서 오직 한 번 서로 교차되며, 다시 반복되는 일이 없는 하나의 점이다. 한 사람 한 사람의 이야기가 중요하고, 영원하고, 신성하다. 그래서 한 사람 한 사람은, 어떻든 살아가면서 자연의 뜻을 실현하고 있다는 점에서 경이로우며 충분히 주목할 만한 존재이다. 누구 속에서든 정신은 형상이 되고, 누구 속에서든 피조물이 괴로워하고 있으며, 누구 속에서든 한 구세주가 십자가에 매달려 있다.

사람이 무엇인지 아는 사람은 이제 별로 없다. 많은 사람들이 그것을 느끼기는 한다. 그리고 느끼는 만큼 수월하게 죽어간다. 나도 이 이야기를 다 쓰고 나면 좀 더 수월하게 죽게 될 것이다.

나 자신을 학식이 풍부한 사람이라고는 감히 부를 수 없다. 나는 끊임없이 무언가를 찾는 구도자였으며, 아직도 그렇다. 그러나 이제 별을 쳐다보거나 책을 들여다보며 찾지는 않는다. 나는 내 피가 몸속에서 소리 내는 가르침을 듣기 시작하고 있다. 내 이야기는 유쾌하지 않다. 꾸며 낸 이야기들처럼 달콤하거나 조화롭지 않다. 무의미와 혼란, 착란과 꿈의 맛이 난다. 이제 더는 자신을 기만하지 않겠다는 모든 사람들의 삶처럼.

한 사람 한 사람의 삶은 자기 자신에게로 이르는 길이다. 길의 추구, 오솔길의 암시이다. 일찍이 그 어떤 사람도 완전히 자기 자신이 되어 본 적은 없었다. 그럼에도 누구나 자기 자신이 되려고 노력한다. 어떤 사람은 모호하게, 어떤 사람은 보다 투명하게, 누구나 그 나름대로 힘껏 노력한다. 누구든 출생의 잔재, 시원(始原)의 점액과 알껍데기를 임종까지 지니고 간다. 더러는 결코 사람이 되지 못한 채 개구리에 그치고 말며, 도마뱀에, 개미에 그치고 만다. 그리고 더러는 위는 사람이고 아래는 물고기인 채로 남는 경우도 있다. 그러나 모든 사람은 인간이 되기를 기원하며 자연이 던진 돌이다. 그리고 사람은 모두 유래가 같다. 어머니가 같다. 우리 모두는 같은 협곡에서 나온다. 똑같이 심연으로부터 비롯된 시도이며 투척이지만 각자가 자기 나름의 목표를 향하여 노력한다. 우리가 서로를 이해할 수는 있다. 그러나 그 풀이를 할 수 있는 건 누구나 자기 자신뿐이다.

# 두 세계

내가 열 살이고 작은 도시의 라틴어 학교에 다니던 시절의
체험 한 가지로 내 이야기를 시작하려 한다.

그 시절로부터 짙은 향기가 밀려와 속에서부터 아픔과 기
분 좋은 전율로 마음을 뒤흔든다. 어두운 골목들과 환한 집
들, 탑들, 시계 종 치는 소리와 사람들의 얼굴, 편안함과 따뜻
한 쾌적함으로 가득 찬 방들, 비밀과 무시무시한 유령의 공포
로 가득 찬 방들. 따뜻하고 비좁은 방의 냄새, 토끼들과 하녀
들의 냄새, 민간요법 약 냄새와 마른 과일 향기가 난다. 그곳
에서는 두 세계가 뒤섞였다. 밤과 낮이 두 극(極)으로부터 나
왔다.

한 세계는 아버지의 집이었다. 그 세계는 협소해서 사실 그
안에는 내 부모님밖에 없었다. 그 세계는 나도 대부분 잘 알
았다. 그 세계의 이름은 어머니와 아버지였다. 그 세계의 이름

은 사랑과 엄격함, 모범과 학교였다. 그 세계에 속하는 것은 온화한 광채, 맑음과 깨끗함이었다. 그곳에는 부드럽고 다정한 이야기들, 깨끗이 닦은 손, 청결한 옷, 좋은 관습이 깃들어 있었다. 그곳에서는 아침에 찬송가를 불렀다. 그곳에는 성탄절 잔치가 있었다. 곧바로 미래로 이어지는 곧은 선과 길이 그 세계 속에 있었다. 의무와 책임, 양심의 가책과 고해, 용서와 선한 원칙들, 사랑과 존경, 성경 말씀과 지혜가 있었다. 인생이 맑고 깨끗하고, 아름답고 정돈되어 있으려면 그 세계를 향해 있어야만 했다.

반면 또 하나의 세계가 이미 우리 집 한가운데에서 시작되고 있었는데 그것은 완전히 다른 세상이었다. 냄새도 달랐고, 말도 달랐고, 약속하고 요구하는 것도 달랐다. 그 두 번째 세계 속에는 하녀들과 직공들이 있고 유령 이야기들과 스캔들들이 있었다. 무시무시하고 유혹하는, 무섭고 수수께끼 같은 물건들, 도살장과 감옥, 술 취한 사람들과 악쓰는 여자들, 새끼 낳는 암소들과 쓰러진 말들, 강도의 침입, 살인, 자살 같은 일들이 있었다. 아름답고도 무시무시한, 거칠고도 잔인한 그 모든 일들이 사방에, 바로 옆 골목, 바로 옆집에 있었고 경찰 끄나풀들과 부랑자들이 돌아다녔다. 주정뱅이들은 아내를 패고, 저녁때면 젊은 여자들의 무리가 뒤엉켜 공장에서 꾸역꾸역 나왔다. 늙은 여자들은 누군가에게 요술을 걸거나 병이 나도록 할 수 있었다. 숲에는 도둑 떼가 살았다. 방화자들은 뒤쫓는 경관에게 잡혔다. 어디서나, 어머니 아버지가 있던 우리 집 안 빼고는 어디서나 이 격렬한 두 번째 세계가 솟아 나오고 향기를 뿜었다. 그리고 그것은 아주 좋았다. 여기 우리 집에 평화와 질서, 안식이 존재한다는 것, 의무와 거리낌 없는 양심, 용서와 사랑이 존재한다는 것은 경이로웠다. 그리고 그모든 다른 것들, 소란하고 요란한 것, 음침하고 폭력적인 것이 존재하며 그래도 그런 것들로부터 한 걸음이면 어머니한테 피신할 수 있다는 것도 경이로웠다.

그리고 가장 기이한 것은, 그 경계가 서로 닿아 있다는 사실이었다. 두 세계가 얼마나 가까이 함께 있었는지! 예를 들면 우리 집 하녀 리나는 저녁 기도 때 거실 출입문 옆에 앉아 씻은 두 손을 매끈하게 펴진 앞치마 위에 올려놓고 밝은 목소리로 함께 노래 불렀는데, 그럴 때 그녀는 아버지와 어머니, 우리, 밝음과 올바름에 속했다. 그 후 곧바로 부엌 혹은 장작을 쌓아 둔 광에서 내게 머리 없는 난쟁이들 이야기를 들려주거나 푸주한의 작은 가게에서 이웃 아낙네들과 싸움을 벌일 때 그녀는 딴사람이었다. 다른 세계에 속했다. 비밀에 에워싸여 있었다. 그런데 모든 것이 그랬다. 나 자신이 가장 심하게 그랬다. 물론 나는 밝고 올바른 세계에 속했다. 나는 내 부모님의 자식이었다. 그러나 내가 눈과 귀를 향하는 곳 어디에나 다른 것이 있었다. 나는 다른 것들 속에서도 살고 있었다. 비록 그것이 내게는 자주 낯설고 무시무시했고, 그곳에서는 규칙적으로 양심의 가책과 불안을 얻었을지라도. 심지어 한동안 내가 가장 살고 싶어 한 곳은 금지된 세계였다. 그리고 밝음 속으로의 귀환은(그것이 제아무리 필연적이고 제아무리 선하더라도) 덜 아름다운 것, 보다 지루한 것, 보다 황량한 것으로 돌아가는 것 같았다. 인생에서의 내 목표가 아버지 어머니처럼 되는 것, 그렇게 밝고 맑게, 그렇게 뛰어나고 단정하게 되는 것임을 나도 때로는 알았다. 그러나 거기까지 이르는 길은 멀었다. 그렇게 되기까지는 학교에서 배겨 내야 하고 대학 공부를 해야 하고 온갖 시험을 치러야 했다. 그 길은 자꾸자꾸 또 하나의 어두운 세계 옆을 지나거나 그 세계를 꿰뚫으며 이어져서 그 세계에 머무르고 그 안으로 가라앉아 버리는 것이 전혀 불가능한 일은 아니었다. 그렇게 된 탕아들의 이야기가 있었다. 그런 이야기들을 나는 열정적으로 읽었다. 그런 이야기들에서는 아버지에게로 그리고 선함에로의 귀환은 언제나 구원이며 위대한 것이었다. 어디까지나 그것만이 올바른 것, 선하고 소망할 만한 것이라고 나는 느꼈다. 그럼에도 악당들과 탕아들이 나오는 대목이 훨씬 더 마음을 사로잡았다. 이런 고백을 해도 된다면, 탕아가 참회하고 다시 받아들여지는 것이 어떤 때는 그야말로 유감이었다. 그러나 그런 말을 하지는 않았다. 그런 생각조차 하지 않았다. 그것은 한 가닥 예감이자 가능성으로 감정의 밑바닥에 막연히 자리 잡고 있었다. 악마를 상상하면 저 아래 길거리에 있는 모습으로 생생하게 떠올릴 수 있었다. 변장을 했거나 공공연하게 모습을 드러냈거나 가설시장 혹은 술집에 있는 모습으로. 그러나 결코 우리 집에 있는 모습으로 떠올릴 수는 없었다.

　내 누이들 역시 밝은 세계에 속했다. 그들은 내 눈에 본질적으로 아버지 어머니와 더 가까운 듯 보였다. 그들은 나보다 선하고 도덕적이고 결함이 없었다. 그들에게도 부족한 점과 나쁜 습관이 있었지만 그런 점들은 내가 보기에는 그리 심각하지 않았다. 나와는 달랐다. 악과의 접촉이 자주 그토록 힘들고 고통스럽던, 어두운 세계에 훨씬 더 가까이 있던 나와 같지 않았다. 누이들은 부모님처럼 아낌받고 존중받아 마땅했다. 누이들과 다투었어도, 나중에 자신의 양심 앞에서 보면 늘 나 자신이 나쁜 사람, 용서를 빌어야 할 원흉이었다. 누이들을 모욕하는 것, 그것은 부모님을, 선함과 계율을 모욕하는 일이었다. 나에게는 누이들보다 오히려 가장 타락한 부랑아 쪽과 나눌 수 있는 비밀들이 있었다. 세상이 밝고, 양심에 거리낌 없는 기분 좋은 날이면, 그때는 누이들과 노는 것, 선하고 얌전하게 그들과 함께하며 착하고 고귀한 겉모습의 자신을 보는 일이 유쾌했다. 천사라면 분명 그래야 했으리라! 천사가 된다는 것은 우리가 아는 최고의 것이었다. 천사라는 것을 우리는 감미롭고 경이롭게 생각했다. 크리스마스나 행복처럼 밝은 음향과 향기에 에워싸인 것으로 생각했다. 그런 시간들과 나날들은 오, 얼마나 드문가? 놀이를 하며, 우리에게 허용된 악의 없는 좋은 놀이를 하며 나는 자주 열정과 격함에 사로잡혔고 그것이 누이들에게는 너무 심하게 느껴져 다툼과 불행으로 이어졌다. 그다음에 화가 치밀면 나는 끔찍해져서 닥치는 대로 이런저런 말과 행동을 했는데 그것이 타락임을 그렇게 행동하고 말하는 동안에 이미 스스로 뜨겁게 느꼈다. 그다음에는 어둡고 격양된 후회와 회한의 시간이 왔다. 그다음에는 용서를 비는 고통스러운 순간이 오고, 그다음에야 몇 시간 혹은 잠깐 동안 다시 한 줄기 광명의 빛줄기, 분열 없는 한

가닥 고요하고 고마운 행복이 되돌아왔다.

나는 라틴어 학교에 다녔다. 시장의 아들과 수석 삼림관의 아들이 같은 반이라 이따금씩 우리 집에 왔다. 난폭한 사내아이들이었어도 허용된 선한 세계에 속한 애들이었다. 그럼에도 나는 여느 때 우리가 경멸하던 이웃 아이들, 공립 학교 학생들과 가까이 지냈다. 그들 중 한 명으로 내 이야기를 시작해야겠다.

어느 수업 없는 오후(열 번째 생일이 갓 지났을 때였다.) 나는 두 이웃 아이와 함께 집 근처를 이리저리 돌아다니고 있었다. 그때 우리보다 큰 아이가 왔다. 열세 살쯤 된 억센 사내아이, 공립 학교 학생으로, 재단사의 아들이었다. 그 애 아버지는 술꾼이었으며 온 가족이 악명이 나 있었다. 프란츠 크로머는 나도 잘 알았다. 나는 그 애가 무서웠다. 그 애가 불쑥 끼어들자 나는 기분이 좋지 않았다. 그 애는 벌써 어른 티가 났고 젊은 직공들의 걸음걸이와 말투를 흉내 냈다. 그가 시키는 대로 우리는 다리 옆에서 강가로 내려갔고, 첫 교각 밑에서 세상으로부터 몸을 숨겼다. 아치형의 교각과 천천히 흐르는 강물 사이 좁은 강변은 온통 쓰레기, 사금파리, 잡동사니 천지로, 녹슨 철사며 다른 쓰레기 뭉치들이 어지럽게 널려 있었다. 거기서 이따금씩 쓸 만한 것들이 발견되기도 했다. 우리는 프란츠 크로머의 지휘에 따라 그 구간을 샅샅이 뒤져 찾아낸 것을 그 애에게 보여야 했다. 그러면 그 애는 그것을 자기 호주머니에 집어넣든지 물에 던져 버렸다. 그 애는 우리에게 그 가운데 혹시 납, 구리 혹은 주석으로 된 것이 있는지 잘 살피라고 하고는 그런 것은 모두 자기 호주머니에 넣었다. 뿔로 만든 낡은 빗도 호주머니에 넣었다. 그 애와 어울려 있자니 마음이 몹시 조였다. 아버지가 알기라도 하면 이런 만남을 금하리라는 것을 알았기 때문만이 아니라 프란츠에 대한 무서움 때문이기도 했다. 그 애가 나를 받아들여 나를 다른 애들과 똑같이 취급한다는 것은 기뻤다. 그 애는 명령하고, 우리는 복종했다. 그러는 것이, 처음 그 애와 함께 있었건만 마치 오래 해 오던 일처럼 여겨졌다.

마침내 우리는 땅바닥에 앉았고, 프란츠가 강물에다 침을 뱉었다. 그 애는 어른처럼 보였다. 잇새로 침을 탁 뱉는데 어디든 원하는 곳을 맞혔다. 그가 이야기를 시작했다. 그러자 소년들은 학생이 저지를 수 있는 온갖 종류의 영웅적 행동과 나쁜 짓거리를 자랑 삼아 떠벌렸다. 나는 아무 말도 하지 않았다. 그렇지만 바로 나의 말없음이 시선을 끌어 크로머의 노여움을 사지 않을까 두려웠다. 두 친구는 처음부터 나와는 거리를 두고 크로머 편이라고 공언한 터라 나는 그들 속의 이방인이어서, 내 옷차림이며 태도가 그 애들에게 거슬린다는 것을 알았다. 라틴어 학교 학생이며 좋은 집안 자식인 나를 크로머가 좋아할 리 없었다. 그리고 다른 두 아이는, 여차하면 내가 골탕을 먹어도 모르는 척 내버려 둘 것임을 나는 잘 알았다.

두려운 나머지 마침내 나도 이야기를 늘어놓기 시작했다. 황당무계한 도둑 이야기를 꾸며 냈는데, 나를 주인공으로 만들었다. 모퉁이 물방아 옆 과수원에서 하고 나는 이야기를 시작했다. 어느 날 밤에 친구 하나와 커다란 자루 가득 사과를 훔쳤는데, 그냥 보통 사과가 아니라 전부 라이네테와 골트파르메네, 즉 최고의 품종이라고 했다. 순간의 위험을 피해 나는 이 이야기로 도피해 들어갔다. 이야기를 꾸며 내 들려주는 것은 나에게는 흔히 있는 일이었다. 금방 말이 막혀 더 고약한 일에 말려드는 사태만은 벌어지지 않도록 나는 온갖 기교를 동원해 이야기를 불려 나갔다. 둘 중 하나가 나무에 올라가서 사과를 밑으로 던지는 동안 다른 하나는 계속 망을 보아야 했다고 나는 이야기했다. 그런데 자루가 어찌나 무거웠는지 마침내 우리는 다시 풀어서 반을 놔두고 와야 했는데, 반 시간 뒤에 다시 가서 그것도 마저 가져왔다고.

이야기를 다 했을 때 나는 박수를 조금 기대했다. 마지막에는 열이 올랐다. 이야기를 꾸며 내는 데에 스스로 도취했던 것이다. 작은 두 아이는 심드렁하니 말이 없었다. 그러나 크로머는 반쯤 뜬 실눈으로 나를 쏘아보며 위협하는 목소리로 물었다. "그 얘기 진짜야?"

"그럼." 내가 말했다.

"그러니까 진짜로 있었던 일이라 이거지?"

"그래, 진짜로 있었던 일이야." 속으로는 겁이 나 숨이 막히는 것 같은데도 나는 고집스럽게 단언했다.

"맹세할 수 있어?"

나는 몹시 놀랐지만, 즉시 그렇다고 했다.

"그럼 말해, 하느님을 걸고 목숨을 걸고 맹세한다고!"

내가 말했다. "하느님을 걸고 목숨을 걸고 맹세해."

"그러셔." 하더니만 그 애는 몸을 돌려 버렸다.

나는 그것으로 잘 끝났다고 생각했고, 그 애가 곧 일어나 집으로 돌아가는 길로 접어들자 기뻤다. 우리가 다리 위에 올라갔을 때, 나는 수줍게 이제 집으로 가야 한다고 말했다.

"집에 가는 게 뭐 그리 급해." 프란츠가 웃었다. "우린 같은 길로 가잖아."

어슬렁어슬렁 그 애는 계속 걸어갔고, 나는 감히 딴 데로 가지 못했다. 그런데 그 애가 정말로 우리 집 쪽으로 향해 갔다. 우리가 도착했을 때, 우리 집 현관문과 묵직한 구리 문 손잡이, 어머니 방의 커튼이 보였을 때 나는 숨을 깊이 내쉬었다. 오, 집으로 돌아왔구나! 오 축복받은, 선한 귀환, 집으로, 밝음 속으로, 평화 속으로의 귀환!

내가 얼른 문을 열고 살짝 빠져 들어가 등 뒤로 문을 닫으려는 참에 프란츠 크로머가 함께 밀고 들어섰다. 마당 쪽에서만 빛이 들어오는 서늘하고 침침한, 타일 깔린 복도에서 그 애가 내 곁에 서서 내 팔을 붙들고 나직이 말했다. "그렇게 급하게 굴지 마, 너!"

나는 놀라서 그 애를 응시했다. 내 팔을 움켜쥔 그 애의 손은 무쇠처럼 단단했다. 나는 생각해 보았다. 그 애가 대체 무슨 속셈을 가졌는지, 혹시 나를 괴롭히겠다는 것인지. 지금 내가 소리를 지른다면 하고 나는 생각했다. 요란하게 소리를 지른다면, 누군가가 위에서 제때 나를 구하러 내려올까? 그러나 나는 포기했다. 내가 물었다.

"뭐야? 어쩌겠다는 거야?"

"별거 아니야, 너한테 그냥 뭘 좀 물어봐야겠어. 다른 사람들은 들을 필요 없고."

"그래? 좋아. 나더러 무얼 더 말하라는 거야? 나는 올라가
야 해, 알잖아."

"너도 알겠지." 프란츠가 나직이 말했다. "모퉁이 물방아 옆
과수원이 누구네 것인지?"

"아니, 난 몰라. 물방앗간 주인 거겠지 뭐."

프란츠가 내 어깨에 팔을 두르더니 나를 자기한테로 바싹
끌어당겼다. 이제 나는 바로 코앞에서 그 애의 얼굴을 보아야
만 했다. 그 애의 두 눈은 사악했다. 그 애는 음흉한 미소를 띠
었고, 그 얼굴에는 잔인함과 기운이 넘쳤다.

"그렇다면, 얘야, 그 과수원이 누구네 것인지는 내가 말해
주지. 난 그 집 사과를 도둑맞았다는 걸 벌써 오래전부터 알
고 있었어. 주인이 누가 과일을 훔쳐 갔는지 말해 주는 사람한
테 2마르크를 주겠다고 말했다는 사실도 알고 있지."

"맙소사!" 내가 소리쳤다. "그래도 그 사람한테 무슨 말을
하진 않겠지?"

그 애의 명예심에 호소해 봐야 소용없다는 것을 나는 느꼈
다. 그 애는 다른 세계에서 왔다. 배신 따위는 그 애에게 범죄
가 아니었다. 이런 일에 있어서 '다른' 세계에서 온 사람들은
우리와 다르다는 것을 나는 정확하게 느꼈다.

"무슨 말을 하진 않겠지?" 크로머가 웃었다. "이봐, 친구, 내
가 직접 2마르크 동전을 만들어 낼 수 있는 화폐 위조범이라
도 된다고 생각하는 거야? 난 가난한 놈이야. 너처럼 부자 아
버지가 없단 말이야. 그러니 2마르크를 벌 수 있다면 벌어야

지. 어쩌면 주인이 더 줄지도 모르지."

그러더니 그가 갑자기 나를 다시 놓았다. 우리 집 현관 마루에서는 이제 더 이상 평화와 안전의 냄새가 나지 않았다. 내 주위에서 세계가 무너졌다. 그 애가 떠들고 다니겠지, 내가 죄를 지었다고. 그 말을 아버지한테도 하겠지, 어쩌면 경찰까지 오겠지. 모든 혼돈의 공포가 나를 위협했다. 모든 흉측하고 위험한 것이 일제히 나에게 맞섰다. 내가 훔치지 않았다는 것은 이제 문제가 되지 않았다. 내가 맹세까지 하지 않았던가. 세상에, 하느님 맙소사!

눈물이 핑 돌았다. 나는 매수를 해서 나를 구해야겠다고 느꼈다. 절망하여 모든 호주머니를 뒤졌다. 사과도 주머니칼도 없었다. 아무것도 없었다. 그때 내 시계 생각이 났다. 그것은 낡은 은시계였는데, 가지는 않았다. '그냥 그렇게' 차고 다니는 것이었다. 할머니가 물려준 시계였다. 나는 얼른 그걸 꺼냈다. 내가 말했다.

"크로머, 들어 봐. 내 이름을 말해선 안 돼. 그건 너한테도 안 좋을 거야. 내 시계를 줄게, 자 봐. 미안하지만 다른 건 아무것도 없어. 너 가져도 돼. 이거 은이고 내부 장치도 좋아. 조금 고장 나기는 했지만, 고치면 돼."

그 애가 미소를 띠고 커다란 손으로 시계를 그러쥐었다. 그 손을 보며 나는 그것이 얼마나 우악스러우며 나에 대한 깊은 적개심으로 차 있는지 느꼈다. 그것이 내 삶과 평화를 움켜잡으려 뻗쳐 오고 있음을 느꼈다.

"그거 은이야." 내가 수줍게 말했다.

"네 고물 은시계 따위는 관심 없어!" 그가 깊은 경멸을 띠고 말했다. "너나 고쳐 써."

"하지만 프란츠." 나는 그가 휙 가 버리지 않을까 두려워하며 외쳤다. "잠깐만 기다려! 이 시계 가져! 정말 은이야, 진짜란 말이야. 그리고 난 다른 건 아무것도 없어."

그 애가 싸늘한 경멸을 띠고 나를 바라보았다.

"그러니까 알긴 아는구나. 내가 누구한테 갈 건지. 그 말을 경찰한테 할 수도 있어. 순경 아저씨를 내가 잘 아니까."

그 애가 가려고 몸을 돌렸다. 나는 그 애의 옷소매를 붙잡았다. 그렇게 되어서는 안 되었다. 그 애가 그렇게 떠나면 일어날 그 모든 것을 겪느니 차라리 죽는 편이 훨씬 나을 것 같았다. 흥분으로 목이 쉬어 내가 애걸했다.

"프란츠, 멍청한 짓 하지 마! 분명 그냥 재미로 그래 보는 거지?"

"그렇고말고, 재미로 그래 보는 거지. 하지만 네가 치를 값은 비쌀 수도 있지."

"말 좀 해 줘, 프란츠, 내가 어떻게 해야 할지! 뭐든 할게!"

그는 반쯤 내리깐 눈으로 나를 지그시 바라보더니 다시 웃었다.

"그렇게 멍청하게 굴지 마!" 그가 선심이라도 쓰듯 말했다. "너도 나처럼 훤히 알잖아. 난 2마르크를 벌 수 있어. 그리고 난 그런 돈을 내던져 버릴 수 있는 부자가 아니고 말이야. 그건 너도 알지. 그런데 넌 부자야. 시계도 있잖아. 넌 나한테 2마르크를 주기만 하면 돼. 그럼 끝이지."

나는 그 논리를 이해했다. 그러나 2마르크라니! 2마르크란 나한테는 10마르크, 100마르크, 1000마르크나 마찬가지로 도 달할 수 없는 큰돈이었다. 나는 돈이 없었다. 어머니 옆에 놓 아둔 저금통이 있었다. 거기에는 아저씨가 오신다든지 할 때 받은 몇 개의 10페니히 혹은 5페니히짜리 동전이 들어 있었 다. 그 밖에는 아무것도 없었다. 그 나이에는 아직 용돈을 받 지 않았던 것이다.

"난 아무것도 없어." 내가 슬프게 말했다. "난 돈이 없어. 하 지만 그것 말고는 뭐든 줄게. 내게는 인디언 책이랑 병정들이 있고, 나침반도 하나 있어. 그걸 가져다줄게."

크로머는 다만 뻔뻔하고 심술궂게 입을 움찔하며 바닥에 침을 탁 뱉을 뿐이었다.

"헛소리 집어치워!" 그가 명령하듯 말했다. "네 고물 잡동사 니들은 너나 가져. 나침반이라고! 날 더 이상 화나게 하지 마. 잘 들어. 돈을 가져와!"

"하지만 난 돈이 없는걸, 나는 돈을 받아 본 적이 없어. 어 떻게 할 길이 없어!"

"내일 나한테 2마르크를 가져오는 거야. 학교가 끝난 뒤 저 아래 시장에서 기다릴게. 그럼 끝이야. 만약 돈을 안 가져오면 알지!"

"알겠어, 하지만 대체 어디서 돈을 가져오란 말이야? 하느님 맙소사, 난 돈이 없는데."

"너네 집에는 돈이 충분히 있잖아. 가져오고 안 가져오고는 네 일이지. 그럼 내일 학교 끝나고다. 말해 두지만, 만약 안 가져오면……." 그 애는 무서운 눈길로 내 눈을 쏘아보고, 또다시 침을 뱉고는 그림자처럼 사라졌다.

나는 계단을 올라갈 수가 없었다. 나의 인생이 산산이 부서져 있었다. 나는 달아나 다시는 돌아오지 않거나 물에 빠져 죽을 생각을 했다. 그렇지만 그러면 어떨지는 똑똑하게 떠오르지 않았다. 나는 어둠 속 계단 맨 아래 칸에 앉았다. 한껏 웅크리고 앉아 불행에 몸을 내맡겼다. 장작을 가지러 광주리를 들고 내려오던 리나가 내가 울고 있는 모습을 보았다.

나는 리나에게 위에 가서는 아무 말도 말라고 부탁하고 올라갔다. 유리문 옆의 옷걸이에는 아버지의 모자가 걸려 있었다. 어머니의 양산도 걸려 있었다. 이 모든 물건으로부터 왈칵 고향과 애정이 나에게로 밀려왔다. 나의 마음은 뭉클하게 그것들을 반겼다. 애원하고 감사하며, 탕아가 고향의 옛 방을 보고 냄새 맡으며 그러듯이. 그러나 그 모든 것은 이제 내 것이 아니었다. 그 모든 것은 아버지와 어머니의 밝은 세계였으며 나는 깊이 죄지은 채 낯선 홍수에 잠겨 있었다. 모험과 죄악에 얽혀 들어 적에게 위협받고 있었다. 위험, 불안, 치욕이 기다리고 있었다. 모자와 양산, 오래된 질 좋은 사암(砂岩) 바닥, 마루 장식장 위에 걸린 커다란 그림 그리고 그 안쪽 거실에서 들려오는 누나의 목소리, 그 모든 것이 그 어느 때보다도 더 사랑스럽고 다정하고 귀했다. 그러나 더 이상 위로가 아니었으며 확실한 자산도 아니었다. 온통 비난이었다. 그 모든 것은 더 이상 내 것이 아니었고 나는 그러한 명랑함과 고요함에 끼어들 수 없었다. 나는 내 구두에 더러움을 묻혀 왔다. 발깔개에 문질러 닦을 수 없는 더러움이었다. 고향의 세계는 알지 못하는 그림자를 끌고 왔던 것이다. 이제까지 얼마나 많은 비밀과 두려움을 가졌던가. 그러나 그 모든 것은 내가 오늘 이 공간으로 끌고 온 것에 비하면 놀이이고 장난이었다. 운명이 뒤쫓아 오고 있었다. 어머니가 알아서는 안 되는 손들이, 그 앞에서는 어머니도 나를 보호할 수 없는 손들이 나에게로 뻗쳐오고 있었다. 이제 내 범행이 절도였든 거짓말이었든(나는 하느님과 목숨을 걸고 거짓 맹세를 하지 않았던가?) 그것은 마찬가지였다. 나의 죄악은 이것이냐 저것이냐가 아니었다. 나의 죄악은 내가 악마에게 손을 내밀었다는 사실 자체였다. 나는 왜 함께 갔던가? 나는 왜 일찍이 아버지의 말보다 크로머의 말에 더 귀를 기울였던가? 나는 왜 저 도둑질 이야기를 지어내고 영웅적 행위라도 되는 양 범행을 뽐냈을까? 이제 악마가 내 손을 잡았다. 이제 적이 나를 뒤쫓고 있었다.

한순간 나는 내일에 대한 공포는 더 이상 느끼지 않고 무엇보다도 나의 길이 이제 점점 더 비탈로, 암흑 속으로 빠져 들어가고 있다는 무서운 확신을 느꼈다. 나는 똑똑하게 감지했다. 나의 잘못에 이제 틀림없이 새로운 잘못들이 뒤이어지리라는 것, 누이들 곁에 내가 나타나고 부모님에게 인사하고 키스하는 것이 거짓이라는 것, 나만이 아는 운명과 비밀 한 가지를 지니게 되리라는 것을.

아버지의 모자를 보자 한순간 신뢰와 희망이 내 마음속에서 번쩍 떠올랐다. 아버지에게 모든 이야기를 하리라. 아버지의 판결과 아버지의 처벌을 받아들이고 아버지를 내 비밀의 공유자이자 구원자로 만들리라. 그것은 내가 자주 감내해 냈던 참회 한 번에 불과하리라. 힘들고 가혹한 시간, 힘들고 후회에 찬 용서를 구하는 것에 불과하리라.

이런 생각은 얼마나 달콤하게 들렸던가? 얼마나 아름답게 유혹했던가! 그러나 일이 그렇게 되지는 않았다. 내가 그러지 못하리라는 것을 나는 알았다. 내가 지금 하나의 비밀을, 하나의 죄를 지니고 있으며, 그것은 나 혼자 스스로 삼켜 내야 한다는 것을 알았다. 어쩌면 나는 바로 지금 갈림길에 서 있는지도 몰랐다. 어쩌면 나는 이 시각부터 영원히 나쁜 것에 소속되고, 나쁜 사람들과 비밀을 공유하고, 그들에게 종속되고, 그들에게 복종하고, 분명 그들 같은 사람이 될지도 몰랐다. 나는 잠시 어른 행세를, 영웅의 연기를 했더랬다. 이제 그 결과를 감당해야 했다.

내가 방으로 들어섰을 때 아버지가 내 젖은 구두만 본 것이 나에게는 다행이었다. 그것이 관심을 돌려 아버지는 더 나쁜 것을 알아차리지 못했다. 그 정도 비난은 견딜 만했다. 그 비난을 나는 남몰래 다른 것과 연관시켰다. 그때 마음속에서 이상하게도 새로운 느낌이 불꽃처럼 번득였다. 뽑히지 않는 미늘이 가득 박힌 듯한 날카롭고 불길한 느낌이었다. 나는 내가 아버지보다 우월하다고 느꼈다! 한순간 아버지의 무지에 대해 약간의 경멸을 느꼈던 것이다. 젖은 구두에 대한 비난이 내게는 소소해 보였다. '아버지가 아신다면!' 하고 나는 생각했는데, 나 자신이 살인죄를 고백해야 되는 판에 조그만 빵

하나를 훔친 죄로 심문받는 범죄자처럼 느껴졌던 것이다. 그것은 추악하고도 꺼림칙한 느낌이었다. 그러나 강렬하고 몹시 매력적이었다. 그 느낌은 그 어떤 다른 생각보다도 더 단단하게 내 비밀과 죄에 나를 결박했다. 어쩌면 지금쯤 그 크로머 녀석이 벌써 경찰한테 가서 내 이름을 댔겠지. 천둥 번개가 이제 내 머리 위로 몰려오겠지.

여기까지 이야기한 이 모든 체험에서는 이 순간이 중요하다. 그것은 아버지의 신성함에 그어진 첫 칼자국이었다. 내 유년 생활을 떠받치고 있던, 그리고 누구든 자신이 되기 전에 깨뜨려야 하는 큰 기둥에 그어진 첫 칼자국이었다. 우리 운명의 내면적이고 본질적인 선(線)은 아무도 보지 못한 이런 체험들로 이루어진다. 그런 칼자국과 균열은 다시 늘어난다. 그것들은 치료되고 잊히지만 가장 비밀스러운 방 안에서 살아 있으며 계속 피 흘린다.

그 새로운 느낌에 곧 나 자신이 무서워졌다. 나는 곧바로 엎드려 아버지의 발에 키스라도 하여 사죄하고 싶었다. 그러나 본질적인 것은 아무것도 사죄할 수 없는 법. 어린아이도 그쯤은 어떤 현자 못지않게 느끼고 안다.

나는 내 일에 대해 곰곰이 생각해 보고 내일 일에 대해 이리저리 궁리해 볼 필요성을 느꼈다. 그러나 거기에 이르지 못했다. 저녁 내내 나는 오로지 우리 거실의 달라진 공기에 익숙해지느라 여념이 없었다. 벽시계와 테이블, 성경과 거울, 벽에 붙은 책 선반과 그림들이 말하자면 나에게 이별을 고하고 있었다. 나의 세계가, 행복하고 아름다운 나의 삶이 과거가 되며 나로부터 떨어져 나가는 것을 나는 얼어붙는 가슴으로 바라보고 있어야 했다. 그리고 내가 빨아들이는 새 뿌리가 되어 바깥에, 어둠과 낯선 것에 닻을 내리고 붙박여 있는 것을 감지해야만 했다. 나는 처음으로 죽음을 맛보았다. 죽음은 쓴맛이었다. 왜냐하면 그것은 탄생이니까, 두려운 새 삶에 대한 불안과 걱정이니까.

마침내 침대에 눕게 되었을 때 나는 기뻤다! 조금 전에 마지막 연옥의 불로서 저녁 기도가 내 몸을 휘감고 지나간 터였다. 게다가 노래까지 한 곡 불렀는데, 내가 제일 좋아하는 노래 가운데 하나였다. 아, 나는 함께 노래하지 못했다. 음(音) 하나하나가 나에게는 쓸개즙이자 독약이었다. 나는 함께 기도하지 않았다. 아버지가 축복을 내리며 "저희 모두와 함께하소서!" 하고 끝낼 때, 그때 내 몸을 스쳐 간 경련이 나를 단번에 이 테두리에서 몰아냈다. 하느님의 은총이 식구들 모두와 함께 있었다. 그러나 이제 나와 함께 있지는 않았다. 나는 몹시 지쳐 떨며 그 자리를 떠났다.

한동안 내가 누워 있던 침대 속에서 따뜻함과 안정감이 다정하게 나를 감쌌을 때 나의 마음은 다시 불안 속을 헤매며 지나간 일 주위를 불안하게 퍼덕였다. 어머니는 내게 늘 그러듯이 잘 자라고 말했다. 어머니 발소리의 여운이 아직 방 안에 남아 있었다. 어머니가 든 촛불 빛이 아직 문틈에서 빛나고 있었다. 지금, 지금 어머니가 다시 한번 돌아오면(어머니는 느낀 것이다.) 나에게 입맞춤을 하며 묻겠지. 너그럽게 희망을 주며 묻겠지. 그러면 나는 울겠지. 그러면 내 목에 걸린 돌덩이가 녹겠지. 그러면 나는 어머니를 껴안고 어머니에게 말하겠지. 그러면 만사 해결인데, 그러면 구원인데! 문득이 다시 어두워지고 나서도 한동안 나는 귀 기울이며 생각했다. 그런 일이 일어나리라고, 꼭 일어나리라고.

그다음 나는 당면한 문제로 되돌아와 나의 적의 눈을 응시했다. 그의 모습이 또렷하게 보였다. 그는 실눈을 뜨고 있었고 입가에는 야비한 웃음이 감돌았다. 그리고 내가 그를 바라보며 피할 수 없는 일을 속으로 삼키자 그는 더 커지고 더 추해졌다. 그의 사악한 눈이 번득였다. 그는 내가 잠들 때까지 내 곁에 바짝 붙어 있었다. 그러나 잠든 다음 그의 꿈을 꾸지는 않았다. 오늘에 대해서도 꿈꾸지 않았다. 꿈에 보인 것은 우리가, 부모님과 누이들과 내가 한배를 타고 가는데 온통 휴일의 평화와 광채가 우리를 에워싸는 것이었다. 한밤중에 깨었는데, 그때까지도 그 행복의 뒷맛이 느껴졌고, 누이들의 흰 여름옷이 햇빛 속에서 빛나는 모습이 보였다. 그러고는 모든 낙원으로부터 다시 현실 속으로 떨어져 들어갔고, 나는 사악한 눈을 가진 적과 다시 마주 서 있었다.

아침에 어머니가 급히 와서 벌써 늦었다고 왜 아직도 잠자리에 누워 있느냐고 소리쳤을 때 나는 안색이 좋지 않았다. 어머니가 어디 아프냐고 묻자 토하고 말았다.

토하고 나니 좀 나았다. 나는 몸이 약간 아플 때 아침 내내 캐모마일 찻잔을 곁에 놓고 누워 옆방에서 어머니가 방을 치우는 소리, 리나가 바깥 복도에서 고기 팔러 온 사람과 주고받는 말을 듣는 것을 몹시 좋아했다. 학교에 가지 않는 오전은 무언가 마력적이고 동화적인 것이었다. 그럴 때면 햇살이 방 안으로 어른어른 장난치듯 비쳐 들었는데 학교에서 초록 커튼을 따라 떨어지던 그 햇살이 아니었다. 그런데 그것조차 오늘은 맞지 않고 다른 음조를 띠고 있었다.

그래, 차라리 죽어 버렸으면! 그러나 나는 이미 자주 그랬던 것처럼 단지 조금 몸이 아플 뿐이었고, 그 정도로는 아무것도 되지 않았다. 그 정도는 학교 가는 일로부터 나를 보호해 주기는 했지만, 결코 11시에 시장에서 나를 기다릴 크로머로부터 나를 보호해 주지는 못했다. 어머니의 다정함도 이번에는 위로가 되지 못했다. 귀찮고 미안한 마음만 들었다. 나는 곧 다시 잠든 척하며 곰곰이 생각했다. 아무것도 소용없었다. 11시에는 시장에 가 있어야만 했다. 그래서 나는 10시에 자리에서 일어나 다시 나아졌다고 말했다. 그런 경우에는 대개 다시 잠자리로 가거나 오후에 학교로 가야 했다. 나는 학교에 가고 싶다고 했다. 한 가지 계획을 짜 놓았던 것이다.

돈을 안 가지고 크로머한테 갈 수는 없었다. 내 작은 저금통을 가져와야 했다. 충분한 돈이 들어 있지 않다는 것은 알았다. 어림도 없었다. 그러나 그래도 얼마는 되었다. 빈손보다는 조금이라도 들고 가는 편이 나으며 적어도 크로머를 달래기는 할 것이 틀림없다고 직감으로 느꼈다.

양말바람으로 살금살금 어머니 방으로 들어가 어머니 책상에서 내 저금통을 집어 들었을 때는 기분이 나빴다. 그러나 어제 일처럼 나쁘지는 않았다. 가슴이 뛰어 숨이 막혔다. 계단 아래에 와서야 비로소 저금통이 잠겨 있는 것을 발견했을 때에도 여전히 가슴은 뛰고 있었다. 저금통을 깨뜨려 열기는 아주 쉬웠다. 얇은 양은 막대 하나만 두 동강 내면 되었다. 그러나 부서진 자리를 보니 마음이 아팠다. 그로써 나는 비로소 도둑질을 한 것이었다. 그때까지 저지른 일이라고는 사탕이나 과일 같은 주전부리에 입을 댄 것뿐이었다. 그런데 이것은 비록 나 자신의 돈이지만 훔친 것이었다. 나는 크로머와 그의 세계에 다시 한 발자국 더 다가갔으며 이제부터는 일이 그렇게 시시각각 보기 좋게 내리막으로 가리라는 것을 느꼈고, 그것에 저항했다. 그러나 악마가 데려간다 하더라도 이제 되돌아갈 길은 없었다. 나는 걱정스레 돈을 헤아렸다. 저금통 안에서는 그렇게 가득한 소리를 냈는데 손에 쥐고 보니 비참하게도 얼마 안 되는 액수였다. 65페니히였다. 나는 저금통을 아래층 마루 밑에 감추고 돈을 손에 꼭 쥐고 집을 나섰다. 내가 이 문을 지났던 그 어느 때와도 다르게. 위에서 누군가가 나를 불렀다. 부르는 것만 같았다. 나는 얼른 그 자리를 떠났다.

아직 시간은 많았다. 달라진 도시의 골목들을 지나 한 번도 본 적 없는 구름 아래로, 나를 유심히 바라보는 집들을 지나고 나에게 혐의를 두는 사람들을 지나쳐 살짝 돌아가는 길로 접어들었다. 도중에 학교 친구 하나가 가축시장에서 1탈러를 주운 일이 떠올랐다. 하느님이 기적을 행하셔서 나에게도 그런 일이 이루어지게 해 달라고 기도하고 싶었다. 그러나 나는 이제 기도할 권리가 없었다. 설령 그럴 권리가 있었다 하더라도 저금통이 다시 온전해지지는 않았으리라.

프란츠 크로머는 멀리서 나를 알아보았다. 그렇지만 아주 천천히 나에게 다가오며 나를 눈여겨보지 않는 듯 굴었다. 가까이 왔을 때 그 애는 자기를 따라오라고 명령하는 눈짓을 하고는 한 번도 돌아보지 않고 유유히 계속 갔다. 슈트로 가세(Gasse, 골목)를 따라 내려가 좁은 판자 다리를 지나 마침내 집들이 끝나는 곳에서 공사 중인 어느 건물 앞에 멈추었다. 그곳에서는 작업을 하지 않았다. 벽들이 문도 창문도 없이 앙상하게 서 있었다. 크로머는 나를 돌아다보더니 안으로 들어갔고, 나도 뒤따라 들어갔다. 그 애가 벽 뒤로 가더니 자기한테 오라는 눈짓을 하고는 손을 내밀었다.

"그거 갖고 왔지?" 그 애가 싸늘하게 물었다.

나는 주먹을 꼭 쥔 손을 주머니에서 빼서 그 애의 펼친 손바닥에 돈을 쏟아 놓았다. 그 애가 헤아렸다. 마지막 5페니히짜리의 챙그랑 소리가 잦기도 전에 "65페니히로군." 하며 그 애는 나를 바라보았다.

"그래." 내가 수줍게 말했다. "이게 내가 가진 전부야. 너무 적지, 잘 알고 있어. 하지만 이게 전부야. 더는 없어."

"네가 좀 더 똑똑한 앤 줄 알았는데." 그 애가 거의 온화한 어조로 비난했다. "명예를 아는 남자들 사이에는 질서가 있어야지. 난 정당하지 않은 건 아무것도 가지지 않겠어, 그건 너도 알겠지. 네 쇠붙이들은 도로 가져가, 자! 딴 데 가면 에누리 없이 몽땅 받을 수 있어."

"하지만 난 없어, 더는 없다고! 이건 내 저금을 통째로 가져온 거야."

"그거야 네 사정이지. 널 불행하게 만들 생각은 없어. 넌 나한테 아직 1마르크 35페니히의 빚이 있어. 내가 그걸 언제 받지?"

"오, 반드시 줄게, 크로머! 지금은 모르지만 어쩌면 곧 더 생길 거야, 내일 아니면 모레. 내가 이 일을 우리 아버지한테 말할 수 없다는 건 이해하겠지."

"그건 나하고 아무 상관없는 일이야. 너한테 손해 끼칠 생각 없다고 했잖아. 난 내 몫의 돈을 오늘 오전 중에 가질 수도 있어, 너도 알겠지. 난 가난해. 넌 멋진 옷을 입었고, 나보다는 점심으로 뭔가 더 좋은 걸 먹겠지. 하지만 난 아무 말 않겠어. 조금 기다려 주겠다는 거야. 모레 휘파람을 불지, 오후에. 그땐 제대로 가져와야 해. 내 휘파람 소리 알지?"

그는 내 앞에서 휘파람을 불어 보였다. 여러 번 들은 소리였다. 내가 말했다.

"응, 알고 있어."

나를 남겨 두고 그 애는 갔다. 내가 자기와는 상관없는 사람이라는 듯이. 그것은 우리 사이의 거래였을 뿐 더는 아무것도 아니었다.

크로머의 휘파람 소리가 갑자기 다시 들린다면 오늘일지라도 나는 놀랄 것이다. 그때부터 자주 그 소리를 들었으며 지금도 그 소리가 자꾸 들리는 것 같다. 나를 예속시킨, 이제 나의 운명이 되어 버린 이 휘파람 소리가 뚫고 들어가지 않는 장소도, 놀이도, 일도, 생각도 없었다. 단풍이 곱던 어느 온화한 가을날 나는 내가 아주 좋아한 우리 집 작은 화단에 있곤 했다.

특별한 충동이 나로 하여금 어린 시절 소년들의 놀이를 다시 해 보게 했다. 나는 얼마만큼은 나보다 어린, 아직 선하고 자유롭고 죄 없고 안정감 있는 소년 역을 했다. 그러나 그 한가운데로, 늘 예상하고 있음에도 늘 놀라게 하는 크로머의 휘파람 소리가 어딘가로부터 울려 와 줄을 탁 끊고 상상들을 짓부쉈다. 그러면 나는 가야 했다. 나쁘고 추한 곳들로 나의 고문자(拷問者)를 따라가야 했다. 그에게 자초지종을 털어놓고 돈 때문에 경고를 받아야 했다. 그 모든 것이 불과 몇 주일 지속되었을 것이다. 그러나 나에게는 그것이 여러 해처럼, 영원처럼 느껴졌다. 내게 돈이 있는 적은 드물었다. 기껏해야 5페니히짜리 하나 혹은 10페니히짜리 하나가 있었다. 리나가 장바구니를 놔두면 부엌 식탁에서 훔친 것이었다. 번번이 나는 크로머로부터 욕을 먹었다. 내게 경멸이 퍼부어졌다. 그를 기만하고 그의 당당한 권리를 유보하려 한 것이 나였고, 그의 몫을 가로챈 것이 나였고, 그를 불행하게 만든 것이 나였다. 괴로움이 그렇게 심장 가까이 치솟은 적은 살면서 거의 없었다. 더 큰 절망, 더 큰 예속을 느껴 본 적은 없었다.

저금통은 장난감 돈으로 채워 다시 제자리에 놓아두었는데 아무도 그것에 대해 묻지 않았다. 그러나 어느 날이든 발각될 수 있는 일이었다. 나는 자주 크로머의 거친 휘파람 소리 이상으로 어머니를 무서워했다. 어머니가 가만히 내게로 다가설 때면 저금통에 대해서 물어보기 위해 온 게 아닐까 하는 생각이 들었다.

내가 여러 번 돈을 구하지 못한 채 내 악마에게 갔기 때문에 그는 나를 다른 식으로 괴롭히고 이용하기 시작했다. 나는 그를 위해 일해야만 했다. 그 애는 자기 아버지 심부름을 해야 했는데 그 심부름을 그 애 대신 내가 해야 했다. 혹은 그 애는 나에게 무언가 힘든 것을 시켰다. 십 분 동안 외발뛰기를 하게 한다든지 지나가는 사람의 재킷에 종이쪽지를 붙이게 한다든지. 이 괴로움은 여러 날 밤 꿈속에서도 계속되어 나는 악몽의 땀에 흠뻑 젖어 누워 있곤 했다.

한동안 아팠다. 자주 토하고 쉽게 오한이 났으며, 밤에는 땀과 열에 젖어 누워 있었다. 어머니는 무언가가 잘못되었다는 것은 느꼈는지 많은 관심을 보였는데 그것이 나를 괴롭혔다. 어머니의 관심에 신뢰로 부응할 수 없었기 때문이다.

한번은 저녁에 내가 이미 잠자리에 들었을 때 어머니가 초콜릿 하나를 가져왔다. 하루를 착하게 보내면 저녁에 잘 자라고 상으로 그런 위로의 주전부리를 받곤 하던 어린 시절을 상기시키는 일이었다. 이제 어머니가 거기 서서 나에게 그 초콜릿 조각을 내밀고 있었다. 나는 어찌나 괴로운지 다만 고개를 가로저을 뿐이었다. 어머니는 뭐가 잘못되었느냐고 물으며 내 머리를 쓰다듬었다. 나는 간신히 "아니요! 아니요! 아무것도 먹지 않을래요!"라고 할 수 있었을 뿐이다. 어머니는 초콜릿을 침대 머리 탁자에 놓고 갔다. 다음 날 어머니가 그 일에 대해 캐물으려 했을 때 나는 그것에 대해 아무것도 모르는 척했다. 한번은 의사를 데려왔다. 의사는 나를 진찰하고 아침에 차가운 물로 몸을 씻도록 처방을 내렸다.

그 시절 내 상태는 일종의 착란이었다. 우리 집 안의 정돈

된 평화 한가운데서 나는 소심하게, 그리고 고통받으며 유령처럼 살고 있었다. 다른 사람들의 생활에 관여하지 않았다. 잠깐이라도 자신을 잊는 일은 드물었다. 자주 흥분하여 해명을 요구하는 아버지에게는 마음을 닫고 냉정히 대했다.

# 카인


구원은 전혀 예상치 못한 방향에서 왔다. 동시에 무언가 새로운 것이 나의 삶 속으로 들어왔고, 그것은 오늘날까지 계속 작용하고 있다.

우리 라틴어 학교에는 그 얼마 전에 한 학생이 새로 들어왔다. 우리 도시로 이사 온 어느 유복한 미망인의 아들로, 옷소매에 검은 띠를 두르고 있었다. 그는 나보다 한 학년 위였으며 나이도 몇 살 더 들었지만, 곧 모든 학생들처럼 나도 그를 주목했다. 이 이상한 학생은 보기보다 훨씬 더 나이가 든 것 같았고, 그 누구에게도 소년이라는 인상을 주지 않았다. 어른처럼, 아니 그냥 어른이라기보다는 신사처럼 낯설고도 성숙하게 우리 유치한 소년들 사이를 오갔다. 인기 있지는 않았다. 놀이에 끼지 않았고 싸움질에는 더더욱 끼지 않았다. 다만 선생님들에게 맞서는 그의 자신감 있고 단호한 어조가 다른 학생들 마음에 들었다. 이름은 막스 데미안이었다.

어느 날 학교에서 간혹 그러듯 무슨 이유에선가 매우 넓은 우리 교실에 한 반이 더 들어와 앉는 일이 있었다. 그것은 데미안네 반이었다. 우리 어린 학생들은 성경 이야기 시간이었고, 큰 학생들은 작문을 해야 했다. 우리가 카인과 아벨의 역사를 배우는 동안 나는 독특하게 나를 매료시키는 데미안의 얼굴을 자주 건너다보았다. 그 총명하고, 환하고, 엄청나게 단호한 얼굴이 작문 과제 위로 주의 깊고도 명민하게 숙여져 있는 모습이 보였다. 그는 전혀 과제를 하는 학생처럼 보이지 않고, 자기 자신의 문제들에 전념하는 연구자 같았다. 사실 좋은 감정이 들지는 않았다. 반대로 왠지 거부감이 들었다. 그는 나보다 우월하고 침착했다. 그의 본질은 너무나도 도전적일 만큼 안정적이었다. 그리고 그의 눈은 아이들이 결코 좋아하지 않는 어른의 표정을 띠었는데, 약간 슬픈 냉소를 담고 있었다. 그렇지만 그를 줄곧 바라보지 않을 수 없었다. 그가 호감을 주었던 것 같기도 하고 반감을 주었던 것 같기도 하다. 한번은 그가 내 쪽으로 눈길을 주었는데 나는 놀라서 얼른 눈길을 돌렸다. 지금 와서 그가 학생으로서 어떤 모습이었는지를 생각해 보면 나는 말할 수 있다. 그는 어떤 점에서 다른 학생들과 달랐으며 전적으로 특별하고 개인적 특징이 뚜렷하게 나타나 있어 그 때문에 눈에 띄었다고. 동시에 그는 눈에 띄지 않으려고 온갖 노력을 했다. 마치 농부들 가운데 있으면서 그들과 같아 보이려고 갖은 애를 다 쓰는 변장한 왕자 같은 몸가짐이었다.

학교에서 집으로 가는 길에 그가 내 뒤에서 왔다. 다른 아이들이 뿔뿔이 흩어지고 나자 나를 따라잡더니 인사를 했다. 이 인사도, 그가 학생다운 말투를 따라 했는데도 무척 어른스럽고 공손했다.

"잠깐 같이 갈까?" 그가 다정하게 물었다. 나는 아첨이라도 받은 듯한 기분으로 고개를 끄덕였다. 그러고는 내가 어디 사는지 자세히 말해 주었다.

"아, 거기구나?" 그가 미소를 띠며 말했다. "그 집은 내가 벌써 아는걸. 현관문 위에 붙여 놓은 기묘한 것이 곧바로 내 관심을 끌더라고."

무엇을 두고 하는 말인지 나는 금방 알아차리지 못했다. 그가 우리 집을 나보다 더 잘 아는 것 같아 놀라울 뿐이었다. 아마도 대문 위 아치형의 돌림띠를 마무리하는, 맨 꼭대기에 박힌 돌로 된 일종의 문장(紋章)을 말한 것 같았는데, 그것은 세월이 흐르면서 편편해지고 페인트로 자주 덧칠된 것으로, 우리나 우리 가문과는 내가 아는 한 아무 상관없는 것이었다.

"그것에 대해서는 아는 게 없는데." 내가 수줍게 말했다. "그건 새나 뭐 그 비슷한 거야, 분명 아주 오래됐어. 건물이 예전에 한때 수도원의 일부였대."

"그럴 수도 있겠군." 그가 고개를 끄덕였다. "한번 잘 봐! 그런 것들은 대부분 아주 재미있단다. 그건 암컷 매일 거야."

우리는 계속 걸었다. 나는 몹시 당황했다. 갑자기 데미안이 웃었다. 마치 뭔가 재미있는 것이 떠오르기라도 한 듯.

"그래, 내가 너희 반에 있었지." 그가 활기 있게 이야기했다.

"이마에 표적을 단 카인의 이야기였어, 그렇지? 그 이야기 마음에 들었니?"

그렇지 않았다, 우리가 배워야 했던 것들 중 어떤 것이 내 마음에 드는 일은 드물었다. 그러나 나는 감히 그렇게 말하지 못했다. 마치 어른과 이야기하고 있는 것 같았던 것이다. 그 이야기가 썩 마음에 든다고 나는 말했다.

데미안이 내 어깨를 툭툭 두드렸다.

"나한테는 그럴듯하게 꾸며 댈 필요 없단다, 얘야. 하지만 그 이야기는 정말로 특이해. 그 이야기는 수업 시간에 나오는 대부분의 다른 이야기들보다는 훨씬 특이해. 선생님은 그것에 대해 이야기를 많이 하지 않고 그냥 신과 죄악에 대한 다들 아는 이야기 따위만 하셨어. 그렇지만 내 생각에는 말이야." 그가 말을 끊고 미소를 띠더니 물었다. "그런데 너 이런 거에 관심 있니?"

"그래, 그러니까 내 생각에는 말이야." 그가 계속했다. "카인에 관한 이야기를 완전히 다르게 이해할 수도 있어. 우리가 배우는 것들은 대부분 분명히 진실이고 올바른 것이지만, 그것들 모두를 선생님들이 보는 것과는 다르게 볼 수도 있어. 그러면 대체로 훨씬 나은 뜻을 갖게 되지. 예를 들면 카인이나 그의 이마에 찍힌 표적에 우리가 설명 들은 대로 만족할 수는 없잖아. 너도 그런 것 같지 않니? 어떤 사람이 싸우다가 자기 형제를 때려죽이는 일은 분명 일어날 수 있어. 그리고 그 사람이 나중에는 더럭 겁이 나 굴복하는 것도 있을 수 있는 일이야. 그러나 그의 비겁함에 대해 일부러 훈장을 주어 표창했는데 그 훈장이 그를 보호하고, 다른 모든 사람들에게 겁을 준다니, 그거 정말 이상하잖니."

"물론이야." 내가 흥미로워하며 말했다. 그 일이 마음을 사로잡기 시작했던 것이다. "하지만 그 이야기를 어떻게 다르게 설명하라는 거지?"

그가 내 어깨를 쳤다.

"아주 간단해! 맨 처음에 존재하며 이야기를 이끌어 낸 것, 그건 표적이야. 어떤 사람이 있었는데, 그의 얼굴에 다른 사람들을 겁나게 하는 무언가가 있었어. 사람들은 감히 그를 건드리지 못했어. 그가 그들을 압도했던 거야, 그와 그의 자손들이. 어쩌면, 아니면 분명히 그것은 편지에 찍히는 소인처럼 정말로 이마에 찍힌 표적은 아니었을 거야. 사람이 사는 데 그렇게 단순한 일은 드물어. 오히려 그건 뭔가 거의 알아볼 수 없는 무시무시한 무엇이었을 거야. 그것은 오히려 시선에 담긴 비범한 정신과 담력이었을 거야. 그 남자에게는 힘이 있었고 사람들은 그를 겁냈어. 그는 '표적' 하나를 가지고 있었어. 그걸 사람들은 자기가 원하는 대로 설명할 수 있었어. 그리고 '사람들'은 언제나 자기들한테 편하고 자기들이 옳다고 여기는 것을 원하지. 사람들은 카인의 자손들이 무서웠어. 그들은 '표적'을 가지고 있었거든. 그러니까 사람들은 그 표적을, 그것의 원래 모습인 우월함에 대한 표창으로 설명하지 않고 반대로 설명한 거야. 사람들은 말했지, 이 표적을 가진 녀석들은 무시무시하다고. 또 그들이 실제로 그렇기도 했어. 용기와 나름의 개성이 있는 사람들은 다른 사람들한테 늘 몹시 무시무시하

게 느껴지거든. 겁 없고 무시무시한 족속 하나가 돌아다닌다
는 것은 몹시 불편한 일이었지. 그래서 이제 이 족속에게 별명
과 우화를 덧붙여 놓은 거야. 복수하기 위해, 견뎌 낸 무서움
을 모든 사람들을 위해 별로 해롭지 않게 억제해 두기 위해.
이해되니?"

"응. 그러니까 카인은 그럼 전혀 나쁜 사람이 아니었단 말이
야? 성경에 있는 모든 이야기가 실제로는 전혀 사실이 아니라
는 말이야?"

"그렇기도 하고 그렇지 않기도 해. 그렇게 오래된, 해묵은
이야기들은 늘 사실이야. 그러나 언제나 사실대로 기록되어
있지도 않고, 언제나 사실대로 설명되지도 않지. 간단히 말해
서 내 생각에 카인은 늠름한 젊은이였는데 그저 사람들이 그
를 무서워했기 때문에 그에게 이 이야기를 매달아 놓은 거야.
이야기는 그냥 하나의 소문이었어. 사람들이 온 사방에 떠들
고 다니는 무엇이었지. 그러나 카인과 그 자손들이 정말로 일
종의 '표적'을 지녔고 대부분의 사람들과 달랐다는 것은 분명
히 사실이야."

나는 몹시 놀랐다.

"그렇다면 동생을 쳐 죽인 일도 전혀 사실이 아니라고 생각
하는 거야?" 내가 충격을 받고 물었다.

"아니! 죽인 건 분명 사실이야. 강한 사람이 약한 사람 하나
를 쳐 죽였어. 그것이 정말 자기 형제였는지야 의심할 여지가
있지. 정말 형제였는지 아니었는지는 중요하지 않아. 결국 모
든 인간이 형제잖아. 그러니까 어떤 강한 사람이 어떤 약한 사

람을 때려죽인 거야. 어쩌면 그건 영웅적 행위였을지도 모르고 어쩌면 아니었을 수도 있지. 어쨌든 다른 약한 사람들이 이제 잔뜩 겁이 난 거야. 그들은 몹시 탄식했지. 그런데 '왜 너희도 그 사람을 그냥 쳐 죽이지 않는 거지?'라고 누가 물으면 그들은 '우리가 겁쟁이이기 때문이죠.'라고 말하지 않고 '그럴 수 없습니다. 그는 표적을 가지고 있거든요. 하느님이 그에게 그려 주신 겁니다!'라고 말했지. 그 사기는 대략 그런 식으로 이루어졌을 게 틀림없어. 자, 내가 널 오래 붙들고 있구나. 그럼 안녕!"

그는 나를 내버려 두고 알트 가세로 접어들었고, 혼자 남은 나는 그 어느 때보다 혼란스러웠다. 그가 가 버리자마자 내게는 그가 한 모든 말이 터무니없어 보였다! 카인이 고귀한 인간이고, 아벨이 비겁자라고! 카인의 표적이 표창이라고! 그것은 어처구니없는 이야기였다. 신성모독이고 극악무도했다. 그렇다면 하느님은 어디 가 버리신 거야? 하느님은 아벨의 제물을 받지 않으셨던가, 아벨을 사랑하지 않으셨던가? 아니다, 말도 안되는 소리다! 그리하여 나는 데미안이 나를 놀렸으며 나를 골탕 먹일 속셈이었다고 추측했다. 실로 빌어먹게 영리한 녀석이었다. 말은 잘도 했다. 그렇지만 그렇게…… 아니다…….

어쨌든 나는 아직 한 번도 그 어떤 성서 이야기나 다른 이야기에 대해 그렇게 많이 생각해 본 적이 없었다. 오래전부터 한 번도, 저녁 내내 몇 시간 동안 프란츠 크로머를 그렇게 완전히 잊어버린 적은 없었다. 집에서 그 이야기를 다시 한번 통독했다. 성경에 쓰여 있는 그 이야기는 짧고 분명했다. 그리고 거기서 어떤 남모르는 특별한 풀이를 한다는 것은 완전히 미친 짓이었다. 데미안의 말대로라면 사람을 쳐 죽인 자도 스스로를 하느님이 사랑하시는 사람이라고 선언할 수 있었다! 아니다, 그건 말도 안 되는 이야기였다. 데미안이 세련된 태도로 그 이야기를 했을 따름이었다. 마치 모든 것이 자명한 일이나 되듯 그렇게 쉽고 멋지게, 게다가 그런 눈으로 말하다니!

물론 나 자신도 아주 정상적인 상태는 아니었다. 심지어 몹시 혼란스러웠다. 나는 얼마 전까지 밝고 깨끗한 세계에서 살아왔다. 나 자신이 일종의 아벨이었다. 그런데 이제 나는 이토록 깊이 '다른' 것에 박혀 있었다. 이렇게 심하게 떨어지고 가라앉아 있었다. 그런데도 나는 마음 저 깊은 곳에서 이런 것에 그렇게 찬성할 수 없었다니! 어떻게 그럴 수 있었단 말인가? 그렇다. 그때 마음속에서 한 가지 기억이 번쩍 떠올라 한순간 거의 숨을 쉴 수 없었다. 비참한 이 상황이 시작된 그 고약한 저녁, 그때 나는 한순간 아버지와 아버지의 밝은 세계 그리고 지혜를 문득 꿰뚫어 본 듯 경멸했다! 그렇다, 그때 나는 카인이었고, 그의 표적을 단 나는 이 표적은 치욕이 아니고, 이건 표창이라고 함부로 상상했다. 악의와 불행을 겪었기 때문에 내가 아버지보다 더 높은 곳에, 선하고 경건한 사람들보다 더 높은 곳에 서 있다고.

내가 당시 이렇게 명확한 사고의 형태로 그 일을 체험했던 것은 아니다. 그러나 이 모든 것이 그 안에 포함되어 있었다. 그것은 다만 느낌들이 한 번 타오른 것일 뿐이었다. 아픔을 주지만 그래도 나를 자랑으로 채운 기이한 움직임들에 의해 온갖 느낌들이 한꺼번에 타오른 것일 뿐이었다.

찬찬히 생각해 보면, 데미안은 겁없는 사람들과 비겁한 사람들에 대해 얼마나 이상하게 이야기했던가! 그는 카인의 이마에 찍힌 표적을 얼마나 기이하게 해석했던가! 그때 그의 눈, 그 독특한 어른의 눈은 얼마나 놀랍게 빛을 뿜었던가! 그리고 이런 생각이 어렴풋하게 나의 뇌리를 꿰뚫고 갔다. 그 자신이, 데미안이 카인 같은 존재 아닐까? 그 자신이 그와 비슷하다고 느끼지 않는다면 왜 그는 카인을 옹호했을까? 왜 그의 눈에는 그런 힘이 있었을까? 왜 그는 그렇게 '다른' 사람들, 겁 많은 사람들, 사실은 하느님 마음에 드는 경건한 사람들에 대해 비웃음을 띠고 말했던가?

나는 이런 생각을 끝없이 했다. 돌 하나가 우물 안에 던져졌고, 그 우물은 나의 젊은 영혼이었다. 그리고 긴, 몹시 긴 시간 동안 카인, 쳐 죽임, 표적은 바로 인식, 회의, 비판에 이르려는 내 시도들의 출발점이었다.

나는 다른 학생들도 데미안에게 관심이 많다는 것을 알아차렸다. 카인 이야기는 아무에게도 말하지 않았다. 그러나 그는 다른 학생들의 흥미도 끄는 듯했다. 적어도 '새로 온 애'에 대한 소문들이 돌았다. 내가 다 알기만 했더라면, 어느 소문이든 데미안의 면모를 조금이나마 밝혀 주었으리라. 어느 소문이든 해석될 수 있었으리라. 그러나 내가 안 것은 처음에 데미안의 어머니가 매우 부자라고 소문났다는 것뿐이다. 그녀는 교회에 가지 않고 아들도 마찬가지라는 말들도 했다. 어떤 사람은 데미안 모자가 유대인인 걸 안다고 주장했지만, 어쩌면 그들은 은밀한 회교도일 수도 있었다. 막스 데미안의 신체적 힘에 대해서도 더 동화 같은 이야기들이 떠돌았다. 그에게 싸움을 걸고는 그가 거절하자 비겁자라고 욕하는 그 반의 가장 힘센 학생에게 그가 무섭게 굴욕을 주었다는 것은 확실했다. 그곳에 있었던 아이들 말에 의하면 데미안이 그냥 한 손으로 덜미를 잡아 꽉 눌렀을 뿐인데 그 애가 창백해졌고 나중에는 슬금슬금 달아났는데 여러 날 팔을 쓰지 못했다는 것이다. 어느 저녁에는 심지어 그가 죽었다는 말까지 돌았다. 별별 이야기가 한동안 주장되고 믿어졌다. 모두 자극적이고 놀라운 소문들이었다. 그다음 한동안은 잠잠했다. 그러더니 얼마 지나지 않아 새로운 소문들이 우리 학생들 사이에서 떠돌았다. 데미안이 여자애와 사귀고 있으며 이미 "알 건 다 안다."라는 소문이었다.

그사이 프란츠 크로머와의 일은 불가피한 길을 계속 갔다. 나는 그로부터 헤어나지 못했다. 그 애가 드문드문 며칠간 나를 가만히 내버려 둔다 해도 나는 그에게 얽매여 있었기 때문이다. 내 꿈속에서 그 애는 내 그림자처럼 함께 살았다. 나의 환상은 그가 현실에서 나에게 저지르지 않은 것조차 꿈속에서 자행하게 했다. 꿈속에서 나는 전적으로 그의 노예였다. 나는 이 꿈들 속에서 현실에서보다 더 많이 살았다. 나는 본래 꿈을 많이 꾸는 편이었던 것이다. 이 그림자 때문에 나는 힘과 활기를 잃었다. 다른 꿈도 꾸었지만 크로머가 나를 학대하는 꿈, 나에게 침을 뱉고 나에게 올라타 무릎으로 짓누르는 꿈을 자주 꾸었다. 그리고 더 고약한 것은, 심한 범죄를 저지르도록 나를 유혹하는 꿈이었다.(유혹했다기보다는 그의 막강한 영향력을 그냥 마구잡이로 행사했다.) 이 꿈들 중 가장 무서운 꿈, 내가 반은 미쳐서 깨어나는 꿈은 아버지를 습격해 살해하는 꿈이었다. 크로머가 칼을 갈아 내 손에 쥐여 주고, 우리는 어느 가로수 길의 나무들 뒤에 서서 누군가를 노리고 있었다. 누구를 노리는지 나는 몰랐다. 그러나 누군가가 오고 크로머가 내 팔을 누르면서 내가 찔러 죽여야 하는 것이 저자라고 말했는데 바로 아버지였다. 그러다 잠이 깨었다.

이런 일들 때문에 나는 카인과 아벨에 대해 그때까지도 생각하고 있었다. 그러나 데미안 생각은 별로 더 하지 않았다. 그가 나에게 다시 가까이 온 것은 이상하게도 또 어느 꿈속에서였다. 나는 또다시 학대와 폭력을 견뎌 내는 꿈을 꾸었다. 그러나 내 몸을 타고 앉은 사람이 이번에는 크로머 대신 데미안이었다. 그리고 그것은 아주 새로웠고 나에게 깊은 인상을 주었다. 내가 크로머 때문에 고통과 저항 가운데서 겪은 모든 것, 그것을 나는 데미안 때문에는 기꺼이 그리고 기쁨과 무서움을 똑같이 느끼며 겪었다. 이 꿈을 나는 두 차례 꾸었고 그다음에는 데미안의 자리에 다시 크로머가 돌아왔다.

이 꿈들에서 내가 체험한 것 그리고 현실에서 체험한 것을 나는 오래전부터 더 이상 정확하게 구분하지 못한다. 어쨌든 크로머와 나의 나쁜 관계는 나름대로 진행되었고, 내가 작은 도둑질들을 해서 그 애에게 빚진 돈을 마침내 다 갚았을 때에도 끝나지 않았다. 끝날 리 없었다. 그 애는 내가 저지른 도둑질들에 대해 알았다. 늘 어디서 돈이 나오느냐고 물었기 때문이다. 그리하여 나는 그 어느 때보다 더 단단히 그 애의 손아귀에 들어 있었다. 그 애는 아버지에게 다 말하겠다고 빈번히 위협했다. 그리고 그럴 때 나의 두려움은 내가 그 일을 처음부터 스스로 하지 말았어야 했다는 깊은 후회 못지않게 컸다. 반면 아무리 비참했어도 나는 다 뉘우치지는 않았다. 적어도 늘 다 뉘우치지는 않았고, 이따금씩은 모든 것이 이럴 수밖에 없다는 느낌도 들었다. 내 위에 어떤 숙명이 드리워 있고 그것을 깨뜨리려는 시도는 소용없는 일 같았다.

부모님도 이런 상황으로 적지 않게 괴로웠을 것이다. 내가 이상한 귀신이 들려 그토록 친밀했던 우리 공동체와 더 이상 어울리지 않았던 것이다. 그 공동체를 향해 마치 잃어버린 낙원을 향한 것 같은 격렬한 향수가 자주 엄습했다. 특히 어머니는 나를 악동이라기보다는 환자처럼 취급했다. 그러나 상황이 진짜 어땠는지는 두 누이의 태도에서 가장 잘 알 수 있었다. 매우 아끼면서도 나를 끝없이 비참하게 만든 그들의 태도에 내가 일종의 신들린 사람이라는 것, 자신의 상태 때문에 비난당하기보다는 탄식을 받아야 할 사람이지만 그 속에 바로 악이 둥지를 틀고 앉은 사람이라는 것이 똑똑하게 드러났던 것이다. 나는 사람들이 나를 위해 여느 때와는 다르게 기도하는 것을 느꼈고, 이런 기도가 부질없음도 느꼈다. 안도에의 동경, 제대로 된 고해에의 욕구를 나는 자주 타는 듯 느꼈다. 그러면서 또한 내가 아버지에게도 어머니에게도 모든 것을 바로 말하고 설명할 수 없으리라는 것을 먼저 느꼈다. 나는 알았다.

사람들이 이 일을 다정하게 받아들이고 나를 몹시 아껴 주며 실로 유감스러워하겠지만 완전히 이해하지는 못하리라는 것을. 그 모든 것이 운명이었는데, 사람들은 일종의 궤도 이탈로나 보리라는 것을.

아직 열한 살도 안 된 아이가 그렇게 느낄 수 있다는 것을 믿지 못할 사람들도 더러 있을 줄 안다. 그런 사람들에게는 내일을 이야기하지 않겠다. 인간을 보다 잘 아는 사람들에게 이야기하겠다. 자신의 감정들의 한 부분을 생각 속에서 수정하는 법을 익힌 어른은 어린아이에게 나타나는 이런 생각을 잘못 측정하고, 이런 체험들도 없었다고 생각한다. 그러나 내 인생에서 당시처럼 깊게 체험하고 괴로워했던 때도 드물다.

한번은 비 오는 날이었는데, 나의 박해자로부터 성 앞 광장으로 나오라는 부름을 받았다. 나는 광장에 서서 기다리며, 흠뻑 젖은 검은 나무들에서 떨어지는 축축한 마로니에 이파리를 두 발로 헤집고 있었다. 돈은 못 가져갔고, 크로머에게 뭐라도 줘야겠기에 케이크 두 조각을 가져가 들고 있는 참이었다. 나는 벌써 오래전부터 그렇게 어딘가 한구석에 서서 오래도록 그 애를 기다리는 데 익숙해진 터였다. 그리고 사람이 어떻게 바꿀 도리가 없는 것은 하는 수 없이 접어 두고 받아들이게 마련이듯 그 사실을 받아들이고 있었다.

마침내 크로머가 왔다. 그날 그 애는 오래 머무르지 않았다. 그 애는 내 가슴팍을 주먹으로 가볍게 몇 대 치고는 웃었고, 케이크를 받고, 심지어 축축한 담배를, 내가 받지는 않았지만 권하기까지 했다. 유별나게 친절했다.

"그래." 그가 떠나면서 말했다. "내가 잊지 않으려고 해 두는 말인데 말이야, 다음번에는 누나를 데려와, 큰누나 쪽으로 말이야. 누나 이름이 뭐였더라?"

나는 전혀 이해하지 못했고 대답도 못 했다. 그냥 어리둥절해하며 그 애를 물끄러미 바라보았다.

"못 알아듣겠어? 네 누나를 데려오라고."

"알아들었어, 크로머. 하지만 그건 안 돼. 나는 그러면 안 돼. 누나도 결코 나하고 오지 않을 거고."

나는 그것 역시 늘 그랬던 것처럼 다만 농간이고 구실에 지나지 않을 뿐이라고 판단했다. 그는 자주 그런 식이었다. 무언가 불가능한 것을 요구해 나를 놀라게 하고, 나에게 굴욕을 주고 그다음에는 서서히 자기와 협상하게 했다. 그러면 나는 약간의 돈이나 다른 선물로 몸값을 주고 빠져나가야 했다.

그러나 이번에는 전혀 달랐다. 거부했는데도 그 애는 화난 기색도 거의 없었다.

"글쎄." 그 애가 얼버무렸다. "네가 잘 생각해 보겠지. 너네 누나와 알고 지냈으면 한단 말이야. 한 번쯤 알고 지내는 거야 되겠지. 그냥 누나와 같이 산책하러 가. 그럼 내가 낄 테니까. 내일 휘파람으로 부를게. 그때 다시 한번 그 일에 대해 이야기하자."

그 애가 떠나고 나서 갑자기 그 애가 원하는 것의 의미를 어렴풋이나마 깨달았다. 나는 아직 완전히 어린아이였다. 그러나 소년들과 소녀들이 조금 나이가 들면 그 어떤 비밀에 찬,

금지된 상스러운 일들을 함께 벌일 수 있다는 것을 소문으로 알고 있었다. 이제 그러니까 아주 갑자기 그 일이 얼마나 엄청 난지가 분명해졌다! 결코 그렇게 하지 않겠다는 나의 결심이 즉시 확고해졌다. 그러나 그다음에 무슨 일이 일어날지, 크로머가 내게 어떻게 복수할지에 대해서는 거의 생각할 엄두조차 나지 않았다. 나에게는 새로운 고문이 시작되었다. 아직도 충분치 않았던 것이다.

절망적으로 두 손을 호주머니에 넣은 채 나는 텅 빈 광장을 건너갔다. 새로운 고통, 새로운 노예 상태였다!

그때 상쾌하고 낮은 목소리가 나를 불렀다. 나는 놀라서 빨리 걷기 시작했다. 누군가가 나를 따라오더니 뒤에서 한 손이 나를 부드럽게 잡았다. 막스 데미안이었다.

나는 잡힌 척했다.

"형이었구나?" 내가 불안정하게 말했다. "깜짝 놀랐어."

그가 나를 바라보았다. 그의 시선이 그때보다 더 어른스럽고 압도적이며 꿰뚫어 보는 사람의 시선인 적은 없었다. 우리는 오랫동안 말을 하지 않고 지낸 터였다.

"그거 유감인데." 그가 특유의 공손하면서도 아주 단호한 태도로 말했다. "하지만 들어 봐, 누가 놀라게 한다고 그렇게 놀라서는 안 돼."

"그렇긴 하지, 하지만 그런 일도 있을 수 있지 뭐."

"그런 것 같네. 하지만 알아 둬. 너한테 아무 짓도 하지 않은 사람 앞에서 그렇게 두려워 떨면 그 사람은 생각해 보기 시작하는 거야. 이상하게 생각되는 거야, 궁금해지지. 그 사람은 생각하게 돼, 네가 이상하게도 잘 놀란다고. 그러고는 계속 생각하지. 사람이 저러는 건 바로 겁이 날 때라고. 겁쟁이들은 언제나 불안하지. 하지만 내 생각에 너는 원래 겁쟁이가 아니야. 아, 물론 영웅도 아니지. 지금 넌 뭔가 겁나는 일이 있어. 겁나는 사람도 있고. 그런데 그건 결코 있어서는 안 될 일이야. 그래, 사람을 무서워해서는 결코 안 돼. 날 무서워하진 않지? 아니면 무섭니?"

"오, 아니야, 전혀 무섭지 않아."

"그럴 테지. 하지만 네가 무서워하는 사람이 있는 거지?"

"몰라…… 날 내버려 둬, 나한테서 뭘 바라는 거야?"

그는 나와 나란히 걸었고(나는 더 빨리 걸었다, 도망칠 생각을 하며.) 곁에서 그의 시선이 느껴졌다.

"한번 가정해 봐." 그가 다시 말을 시작했다. "내가 널 좋게 생각하고 있다고 말이야. 아무튼 나한테는 겁낼 필요가 없다고. 너하고 실험을 한번 해 보고 싶어. 재미있기도 하고 네가 거기서 꽤 쓸모 있는 걸 배울 수도 있어. 한번 주의해 들어 봐! 나는 이따금씩 독심술(讀心術)이라고 부르는 기술을 써 보곤 해. 무슨 나쁜 마법이 있는 건 아니야. 어떻게 하는 건지 모르면 아주 이상해 보이지. 그걸로 사람들을 아주 놀라게 할 수 있어. 자아, 우리 한번 시험해 보자. 그러니까 내가 너를 좋아하거나 너에게 관심이 있는데 이제 네 마음속 모습이 어떤지를 밝혀 보고 싶은 거야. 그러기 위해 나는 이미 시작했어. 내가 널 놀라게 했지. 넌 그러니까 잘 놀라는 거야. 즉 넌 두려운 일이나 사람이 있는 거야. 그게 어디서 비롯되었을까?

그 누구도 두려워할 필요 없어. 누군가를 두려워한다면, 그건 그 사람에게 자신을 지배할 힘을 내준 데서 비롯해. 예를 들면 뭔가 나쁜 일을 했고 상대방이 그걸 알아. 그럴 때 그가 너를 지배할 힘을 가지는 거야. 알아들었니? 이제 분명하지, 안 그래?"

나는 어찌할 줄 모르고 그의 얼굴을 들여다보았다. 그 얼굴은 언제나 그렇듯 진지하고 영리했다. 그러면서도 너그러웠지만, 온갖 정다움이 깃들어 있다기보다는 오히려 엄격했다. 정의나 뭔가 그 비슷한 것이 있었다. 나는 내게 무슨 일이 벌어지는지도 몰랐다. 그는 마술사처럼 내 앞에 서 있었다.

"이해했니?" 그가 다시 한번 물었다.

나는 고개를 끄덕였다. 아무 말도 할 수 없었다.

"너한테 말하는데 말이야, 이건 우스꽝스러워 보여, 독심술 말이야. 그러나 이건 아주 자연스럽게 돼. 예를 들면 언젠가 카인과 아벨 이야기를 들려주었을 때 네가 나에 대해서 어떻게 생각했는지 네게 꽤 정확하게 말해 줄 수도 있어. 딴 이야기지만 말이야. 네가 한 번쯤 내 꿈을 꾸었으리라고 생각해. 하지만 그런 건 관두자! 넌 명석한 소년이야, 대부분의 아이들은 참 멍청하지! 나는 때때로 내가 신뢰하는 명석한 소년과는 어디서든 즐겨 이야기해. 괜찮겠지?"

"그럼, 괜찮고말고. 다만 난 전혀 이해하지 못하겠어."

"우리 한번 즐거운 실험을 계속해 보자! 그러니까 우리가 찾아낸 거야. S라는 소년이 잘 놀란다. 그 애는 누군가를 무서워한다. 필시 그 애와 이 상대방 사이에는 몹시 불편한 비밀이 하나 있다. 대강 맞지?"

꿈속에서처럼 나는 그의 목소리에, 그의 영향력에 굴복했다. 그 목소리는 나 자신에게서만 나올 수 있는 목소리 아니었을까? 모든 것을 아는 목소리 아니었을까? 나 자신보다 모든 것을 더 잘, 더 명확하게 아는 목소리 아니었을까?

데미안이 내 어깨를 힘차게 두드렸다.

"그럼 맞는 거지. 그럴 줄 알았어. 이제 딱 한 가지 질문만 더 할게. 아까 저기서 가 버린 애 이름이 뭔지 아니?"

나는 흠칫했다. 건드려진 나의 비밀이 고통스럽게 내 속에서 다시 움츠러들었다. 밖으로 나오려 하지 않았다.

"누구? 다른 애는 없었어, 나뿐이었지."

그가 웃었다.

"그냥 말해." 그가 웃었다. "그 애 이름이 뭐지?"

내가 조그맣게 말했다. "저 프란츠 크로머 말이야?"

그가 흡족해하며 고개를 끄덕였다.

"브라보! 넌 똑똑한 녀석이로구나, 우린 친구가 되겠다. 그런데 네게 해 줄 말이 있어. 그 크로머는 말이야, 아니면 이름이 뭐든 간에, 나쁜 녀석이야. 그 애 얼굴에 자기는 악당이라고 쓰여 있어! 넌 어떻게 생각하니?"

"응, 그래." 내가 한숨을 푹 내쉬었다. "그 애는 나빠, 사탄이야! 하지만 그 애가 아무것도 알아선 안 돼! 맙소사, 제발, 그 애가 알아선 안 돼! 그 애를 알아? 그 애가 형을 알아?"

"조용히 좀 해! 그 애는 갔어. 그리고 날 몰라. 아직은 모른다고. 하지만 그 애에 대해 알고 싶은걸. 그 애가 공립 학교에

다니니?"

"응."

"몇 학년인데?"

"5학년. 하지만 그 애한테 아무 말 하지 마! 제발, 제발 그 애한테 아무 말 하지 말아 줘!"

"걱정 마, 너에겐 아무 일도 안 일어날 거야. 아마도 넌 그 크로머에 대해 조금 더 들려줄 마음이 없겠지?"

"그럴 수 없어! 안 돼, 나를 내버려 둬!"

그는 한동안 말이 없었다.

그러더니 그가 말했다. "안됐다. 우리가 이 실험을 좀 더 해 볼 수도 있었을 텐데. 하지만 널 괴롭히지는 않을게. 그 애를 두려워하는 게 올바르지 않다는 건 너도 알지, 안 그래? 그런 두려움이 우리를 완전히 망가뜨리는 거야. 그런 건 떨쳐 버려야만 해. 넌 그 두려움을 떨쳐 버려야만 해, 제대로 된 사내 녀석이 되려면 말이야. 이해하겠니?"

"분명 형이 전적으로 옳아……. 하지만 그렇게 안 되는걸. 형은 몰라……."

"어떤 면에서는 내가 네 생각보다 더 많이 안다는 걸 보았 겠지. 너 그 애에게 혹시 돈 빚진 거라도 있니?"

"그래, 그렇기도 해. 그렇지만 그게 중요한 문제는 아니야. 난 말할 수 없어. 할 수 없다고!"

"네가 빚진 돈을 내가 갚아 주어도 아무 소용이 없다는 거 니? 내가 너한테 줄 수도 있는데."

"아니야, 아니야, 그게 아니야. 부탁이야, 아무에게도 그 애기 하지 말아 줘! 한마디도! 형은 날 불행하게 해!"

"날 믿어, 싱클레어. 넌 언젠가 너희 사이의 비밀을 나에게 알려 줄 거야."

"결코 그러지 않을 거야, 결코!" 내가 격렬하게 소리쳤다.

"다 너 좋을 대로 해. 난 그냥 어쩌면 네가 나중에 한 번 더 내게 말하겠지 하고 생각할 뿐이야. 당연히 자발적으로 말이야! 내가 그 크로머처럼 굴리라고 생각하는 건 아니겠지?"

"오, 아니야. 하지만 형은 그것에 대해서 전혀 모르는걸."

"전혀 모르지. 그것에 대해 곰곰이 생각할 뿐이지. 그리고 나는 결코 크로머처럼 굴지 않을 거야. 그건 믿어 줘. 또 넌 나한테는 아무것도 빚지지 않았잖니."

우리는 오랫동안 말이 없었다. 그리고 나는 점차 안정되었다. 그러나 데미안이 사실을 안다는 것이 나에게는 점점 수수께끼 같아졌다.

"이젠 집에 가 봐야겠다."라고 말하며 그가 빛 속에서 자기 외투를 더 단단히 여몄다. "한 가지만은 다시 말해 주고 싶어. 우리가 벌써 이만큼 왔으니까 말이야. 넌 그 녀석을 떨쳐야 할 것 같아! 달리 안 된다면 그 애를 때려죽여! 만약 네가 그렇게 한다면 나도 좋겠어. 내가 널 돕기도 할 거고."

나는 새롭게 겁이 났다. 카인의 이야기가 갑자기 다시 떠올랐다. 나는 무시무시해져 훌쩍훌쩍 울기 시작했다. 내 주위에 무시무시한 일들이 너무 많았던 것이다.

"그럼 좋아." 막스 데미안이 미소 지었다. "집에나 가! 우린 벌써 그 일을 하고 있어. 때려죽이는 편이 가장 간단하겠지만 말이야. 그런 일들에서는 가장 단순한 것이 늘 최선이지. 크로머와 어울리는 건 좋지 않아."

나는 집으로 왔다. 일 년쯤 떠나 있었던 것 같았다. 모든 것이 달라 보였다. 나와 크로머 사이에 미래 같은 무엇, 희망 같은 무엇이 있었다. 나는 더 이상 혼자가 아니었다! 그리고 얼마나 무섭도록 혼자 여러 주일 동안 내 비밀과 더불어 있었던가를 이제 비로소 알았다. 내가 이따금씩 깊이 했던 생각도 곧바로 떠올랐다. 부모님 앞에서 고해하면 후련하기야 하겠지만 그래 봐야 나를 완전히 구원할 수는 없으리라는 것이. 그러나 이제 나는 고해한 것이나 마찬가지였다. 다른 사람, 낯선 사람한테. 그리고 구원의 예감이 짙은 향기처럼 내게로 풍겨 왔다.

그 후에도 오랫동안 내 두려움은 극복되지 않았다. 나의 적과 길고도 무서운 대결을 벌일 각오를 하고 있었던 것이다. 그랬던 만큼 모든 것이 그렇게 고요하고 그렇게 완전히 비밀스럽고 조용히 흘러가는 것이 더 이상했다.

우리 집 앞에서 들리던 크로머의 휘파람 소리가 들리지 않았다. 하루, 이틀, 사흘, 한 주일 동안. 나는 감히 그 일을 믿을 수 없었고 속으로 망을 보고 있었다. 그 애가 갑자기, 전혀 예기치 않은 때에 그곳에 서 있지 않을까 하고. 그러나 그 애는 나타나지 않았다. 계속 나타나지 않았다! 새로운 자유가 믿어지지 않았다. 마침내 내가 프란츠 크로머와 마주치게 되었을 때까지도 나는 믿지 못했다. 그 애는 바로 맞은편에서 자일러 가세를 내려오고 있었는데 나를 보자 움칫했다. 그리고 얼굴을 험하게 찌푸리더니 나를 피해 그냥 확 돌아섰다.

그것은 나로서는 놀라운 순간이었다! 내 적이 나를 피해 달아났다! 나의 사탄이 나를 두려워했다! 기쁨과 놀람이 나의 전신을 관통했다.

그 무렵 데미안이 다시 한번 나타났다. 학교 앞에서 나를 기다리고 있었다.

"안녕." 내가 말했다.

"안녕, 싱클레어. 네가 어떻게 지내는지 좀 들어 보고 싶었어. 크로머가 이젠 널 가만히 두지, 안 그래?"

"형이 그런 거야? 하지만 대체 어떻게? 대체 어떻게 했기에? 도저히 이해할 수 없어. 그 애는 아예 나타나지도 않아."

"그거 잘됐구나. 언젠가 다시 나타나기라도 하면, 안 그러겠지만 그 애야 뻔뻔한 녀석이니까 말이야, 그냥 그 애한테 데미안을 생각해 보라고만 해."

"그게 무슨 말이지? 그 애랑 싸운 거야, 때려 준 거야?"

"아니, 난 그런 짓은 별로 좋아하지 않아. 그 애하고도 그냥 이야기했어. 너하고 이야기했듯이 말이야. 그러면서 너를 가만히 내버려 두는 것이 그 애 자신한테도 이로우리라는 사실을 똑똑히 알게 해 주었지."

"오, 형이 그 애한테 돈을 준 건 아니겠지?"

"아니야. 그런 방법이라면 네가 벌써 시험해 봤잖아." 내가 자꾸 캐물으려 했지만 그는 자리를 떠났다. 그리고 나는 그에 대해 전에 느꼈던 느낌, 감사와 수줍음, 찬탄과 두려움, 헌신과 내면의 거부가 기이하게 뒤섞인 답답한 느낌으로 그 자리에 남아 있었다.

곧 그를 다시 보겠거니 했다. 그와 그 모든 것에 대해, 또 카인의 일에 대해서도 더 이야기를 나누었으면 했다.

하지만 그렇게 되지 않았다.

감사는 결코 내가 믿는 미덕이 아니었다. 그리고 그것을 어린아이에게 요구하는 것은 잘못된 일로 보였다. 그래서 내가 막스 데미안에게 전혀 감사해지 않았다는 것이 지금도 별로 놀랍지 않다. 데미안이 나를 크로머의 손아귀에서 구해 주지 않았더라면 나는 평생 병들고 상했을 것이라고 지금도 나는 확신한다. 당시에도 나는 이 구원을 내 짧은 인생의 가장 큰 경험으로 느꼈다. 그러나 구원해 준 사람을, 그가 기적을 완수하자 나는 곧 제쳐 두었다.

감사해지 않았다는 것은 이미 말했듯 내게는 이상하지 않았다. 내게 특이하게 느껴진 것은 오로지 내가 호기심을 보이지 않았다는 점이었다. 나를 데미안과 접속하게 했던 비밀들에 좀 더 가까이 가지 않은 채 어떻게 단 하루라도 평온하게 살아갈 수 있었을까? 카인에 대해, 크로머에 대해, 독심술에 대해 좀 더 듣고 싶다는 욕망을 내가 어떻게 억제할 수 있었을까?

거의 이해가 되지 않지만 실제로 그랬다. 내가 갑자기 악령이 씌운 그물에서 풀려났음을 나는 보았다. 다시 세계가 밝고 기쁘게 내 앞에 놓여 있는 것을 보았다. 나는 더 이상 두려움의 발작과 목을 죄는 심장의 격한 고동에 시달리지 않았다. 저주의 주문은 풀렸다. 나는 더 이상 괴롭힘당하는 저주받은 자가 아니었다. 나는 다시 평소와 같은 학생이었다. 내 본성은 될 수 있는 대로 빨리 균형과 안정에 이르려 했다. 그렇게 본성은 무엇보다 그 많은 추하고 위협적인 것을 떨쳐 버리려고, 잊어버리려고 노력했다. 내 죄와 불안의 긴 역사 전체가, 겉으로는 그 어떤 흉터도 인상도 남기지 않은 채 놀랍도록 빨리 내 기억에서 미끄러져 갔다.

나의 조력자이자 구원자에 대해서도 똑같이 빨리 잊어버리려 했다는 것도 이제는 이해하겠다. 손상당한 영혼의 모든 충동과 힘을 쏟아 나는 내게 내렸던 저주의 고해(苦海)로부터, 크로머에 대한 무서운 예속에서 도망쳐 돌아왔던 것이다. 내가 일찍이 행복하고 만족했던 곳으로, 다시 열리는 잃어버렸던 낙원으로, 아버지 어머니의 밝은 세계로, 누이들에게로, 정결함의 향기로, 아벨이 누렸던 신의 호의로.

데미안과의 짧은 대화를 나눈 날, 내가 다시 얻은 자유를 완전히 확신하고 이제는 재발을 두려워하지 않게 되었을 때, 그날로 나는 벌써 그토록 자주 그리워하며 소망한 것을 실행했다. 고해한 것이다. 어머니에게 가서 자물쇠가 망가지고 돈 대신 장난감 돈으로 채워진 저금통을 보여 드리고, 얼마나 오랫동안 자신의 죄 때문에 사악한 자에게 묶여 있었는지 이야기했다. 어머니는 다 이해하지는 못했지만 저금통을 보고, 변한 나의 시선을 보고, 변한 나의 목소리를 듣고, 내가 회복되었으며 내가 어머니에게 돌아왔다는 것을 느꼈다.

그리고 이제 나는 벅찬 감정으로, 내가 다시 받아들여진 것을 축하하는 축제를, 탕아의 귀향 의식을 벌였다. 어머니는 나를 아버지에게 데려갔고, 이야기가 되풀이되었으며 질문과 놀람의 탄성이 터져 나왔고, 부모님은 내 머리를 쓰다듬으며 긴 마음의 짓눌림을 떨치고 안도의 숨을 내쉬었다. 모든 것이 근사했다. 모든 것이 이야기 속 같았다. 모든 것이 놀랍도록 순조롭게 풀렸다.

이제 나는 정말 열정적으로 이 안정 속으로 도피해 들어갔다. 평화를 되찾고 부모님의 신뢰를 되찾았다는 생각은 아무리 해도 싫증 나지 않았다. 나는 집안의 모범 소년이 되었다. 그 어느 때보다 더 많이 누이들과 놀고, 기도 시간에는 구원받은 개종자의 심정으로 좋아하는 옛 노래들을 함께 불렀다. 그런 일은 충심에서 우러났으며 어떤 거짓도 섞이지 않았다.

그럼에도 그로써 모든 일이 해결된 것은 전혀 아니었다! 그리고 내가 데미안을 잊은 이유를 진정 그것으로 해명할 수 있다. 나는 그에게 고해를 했어야 했다! 그랬더라면 그 고해가 집에서처럼 화려하고 감동적이지는 않았을 테지만 그 결과는 나에게 보다 유익했을 것이다. 이제 나는 모든 뿌리를 뻗어 예전의 낙원 같은 세계에 매달렸다. 집으로 돌아와 관대하게 받아들여졌다. 그러나 데미안은 결코 이 세계에 속하지 않았다. 이 세계에 맞지 않았다. 그도, 크로머와는 다르지만 여전히 유혹자였다. 이제는 영원토록 조금도 더 알고 싶지 않은 또 다른 세계, 악하고 나쁜 세계와 나를 묶어 주는 유혹자였다. 지금, 바로 나 자신이 다시 한 명의 아벨이 된 지금 아벨을 포기하고 카인을 찬양하는 일을 도울 수 없었고 그러고 싶지도 않았다.

겉으로 드러난 상황은 그랬다. 그러나 내면적 관계는 이랬다. 나는 크로머라는 악마의 손아귀에서 풀려났다. 그러나 나 자신의 힘과 노력을 통해서 풀려난 것이 아니었다. 나는 세상의 오솔길들을 똑바로 걸으려고 했는데, 그 길들이 내게는 너무 미끄러웠다. 친절한 손 하나가 나를 잡아 구해 낸 지금, 나는 한눈 한번 팔지 않고 곧장 어머니의 품속으로, 포근히 에워싸인 경건한 유년의 아늑함 속으로 달려왔다. 나는 자신을 자신보다 더 어리게, 더 의존적으로, 더 어린애처럼 만들었다. 나는 크로머에 대한 예속을 새로운 의존으로 대체해야만 했던 것이다. 혼자는 갈 수 없었기 때문이다. 그렇게 나는 눈먼 마음으로 아버지 어머니에의 의존, 그것이 유일한 것이 아님을 알아 버린 '밝은 세계'에의 의존을 택했다. 그렇게 하지 않았더라면 분명 나는 데미안 편이 되어 그에게 모든 것을 털어 놓았을 것이다. 내가 그러지 않은 것, 그것이 당시에는 내게 그의 수상쩍은 생각에 대한 당연한 불신으로 보였다. 사실 그것은 두려움 말고 아무것도 아니었다. 데미안이 부모님보다 더 많은 것을, 훨씬 더 많은 것을 나에게 요구했을 테니까. 그는 충동과 경고로, 조롱과 반어로 나를 보다 자립적으로 만들려고 했을 테니까. 아, 지금은 안다. 자기 자신에게로 인도하는 길을 가는 것보다 더 인간에게 거슬리는 것이 세상에 아무것도 없다는 것을!

그럼에도 반년쯤 뒤, 나는 그 유혹에 저항할 수 없어 한번은 산책하는 길에 아버지에게 물어보았다. 어떤 사람들은 카인이 아벨보다 더 훌륭하다고 설명하는데 그 점을 어떻게 생각하느냐고. 아버지는 몹시 놀라며 그것은 새로울 것이 없는 견해라고 설명했다. 심지어 기독교 이전 시대에도 등장했으며 사이비 종파들에서 전수되었는데, 그중 하나는 스스로를 '카인교도'라고 불렀다고. 그러나 물론 이 미친 학설은 다름 아니라 우리의 신앙을 깨뜨리려는 악마의 시험이라고. 왜냐하면 카인이 옳고 아벨이 옳지 않았다고 믿는다면 그 결과는 신이 오류를 범했다는 것이기 때문이라고. 그러니까 성서의 신이 올바른 신, 유일신이 아니라 틀린 신이라는 것이기 때문이라고. 정말로 카인교도들은 비슷한 것을 가르치고 설교하기도 했다고. 그렇지만 이 이교 짓거리는 오래전에 인류로부터 사라졌다고. 그래서 나의 학교 친구가 그것에 대해 무언가를 들을 수 있었다는 사실이 놀라울 뿐이라고. 아무튼 그런 생각은 버려야 한다고 아버지는 진지하게 경고했다.

# 예수 옆에 매달린 도둑

내 어린 시절에 대해, 아버지 어머니 곁에서 내가 누렸던 안
정감에 대해, 어린아이가 사랑과 부드럽고 사랑스럽고 환한 환
경 속에서 넉넉하게 즐기며 살아가는 것에 대해 아름답고 정
답고 사랑스러운 이야기를 들려줄 수 있을 것이다. 그러나 내
인생에서 나에게 흥미로운 것은 오직 나 자신에게 이르기 위
해 내가 내디딘 걸음들뿐이다. 그 모든 아리따운 휴식의 지점
들, 행복의 섬들과 낙원들의 마력을 나도 모르지 않지만, 그
모든 것을 나는 먼 곳의 광채에 싸인 채 두고자 한다. 그곳에
다시 한번 발 디딜 욕심은 내지 않는다.

그래서 이 이야기가 아직 내 소년 시절에 머무르는 동안 더
할 이야기는 오직 어떤 새로운 것이 나에게 닥쳤는지, 무엇이
나를 앞으로 몰아갔는지, 나를 찢어 냈는지 하는 것에 대한
것뿐이다.

이런 충격들은 늘 '다른 세계'로부터 왔고 늘 두려움과 강압과 양심의 가책을 수반했다. 그것들은 늘 혁명적이었다. 내가 그 안에 그대로 머물고 싶던 평화를 위협했다.

　허용된 밝은 세계에서는 숨기고 은폐해야 하는 하나의 원시적 충동이 나 자신 속에 살고 있다는 사실을 새롭게 발견해야만 하는 시절이 왔다. 어떤 사람에게나 그러듯이 천천히 눈 뜨는 성(性)에 대한 감정이 나에게도 하나의 적이자 파괴자로, 금기로, 유혹과 죄악으로 들이닥쳤다. 나의 호기심이 찾은 것, 꿈과 기쁨과 두려움이 내게 가져다준 것, 사춘기의 큰 비밀, 그것은 내 유년의 평화에 감싸인 행복감에는 맞지 않았다. 나는 다른 모든 사람들처럼 행동했다. 이제 더는 어린아이가 아닌 아이의 이중생활을 영위했다. 내 의식은 집 안의 허용된 세계 속에 살았으며 어렴풋이 솟아오르는 새로운 세계는 부정했다. 그러나 동시에 나는 꿈, 충동, 은밀한 소망들 속에서 살았다. 그 위에서 저 의식적 삶이 만드는 다리는 점점 더 불안해졌다. 내 속에서 유년의 세계가 붕괴되고 있었기 때문이다.

　거의 모든 부모들처럼 우리 부모님도 말없이 덮어 두며 눈 뜨는 생명의 충동을 모르는 척했다. 그들은 다만 다함없는 세심한 배려를 기울여, 현실을 부인하며 점점 더 비현실적이고 위선적이 되어 가는 어린이의 세계에 좀 더 머무르려는 나의 절망적인 시도들을 도와주었을 뿐이다. 부모라는 존재가 이 점에서 얼마나 도움이 될 수 있는지는 모르겠으니 내 부모님을 비난하지는 않겠다. 자신을 다스리고, 나의 길을 찾아내는 것은 나 자신의 일이었다. 그런데 나는 유복하게 자란 대부분의 사람이 그러듯이 자신의 일을 잘 해내지 못했다.

누구나 이런 어려움을 겪는다. 평범한 사람들에게 이것은 인생의 분기점이다. 자기 삶의 요구가 가장 혹심하게 주변 세계와 갈등에 빠지는 지점, 앞을 향하는 길이 가장 혹독한 투쟁으로 쟁취되어야 하는 지점이다. 많은 사람이 우리의 운명인 이 죽음과 새로운 탄생을 경험한다. 삶에서 오로지 한 번, 유년이 삭아 가며 서서히 와해될 때, 우리의 사랑을 얻었던 모든 것이 우리를 떠나가려 하고 우리가 갑자기 고독과 우주의 치명적인 추위에 에워싸여 있음을 느낄 때 경험하는 것이다. 그리고 아주 많은 사람이 영원히 이 절벽에 매달려 있다. 돌이킬 수 없는 지나간 것에, 잃어버린 낙원의 꿈에, 모든 꿈 중에서 가장 나쁘고 가장 살인적인 그 꿈에 한평생 고통스럽게 들러붙는다.

내 이야기로 돌아가 보자. 내 유년의 끝이 왔음을 알리던 느낌들, 꿈의 영상들은 이야깃거리가 될 만큼 중요하지 않다. 중요한 것은 '어두운 세계', '다른 세계'가 다시 거기 있었다는 것이다. 한때 프란츠 크로머였던 것이 이제는 나 자신 속에 박혀 있었다. 그리고 그럼으로써 '다른 세계'가 바깥에서부터도 나를 지배하는 힘을 다시 얻었다.

크로머와의 일이 있은 지 몇 년이 지나고였다. 내 삶의 저 극적이고 죄에 찬 시절이 몹시도 멀리 있고 짧은 악몽처럼 흔적도 없이 사라진 때였다. 프란츠 크로머는 오래전부터 내 삶에서 사라져 어쩌다 마주치는 일이 있어도 내 쪽에서 거의 신경 쓰지 않을 정도였다. 그러나 내 비극의 다른 중요한 등장인물 막스 데미안은 그때까지도 아직 나의 주변에서 완전히 사라지지 않았다. 오히려 그는 눈에 보이게, 그러나 영향을 미치지는 않으면서 오랫동안 멀리 가장자리에 서 있었다. 그러던 그가 비로소 다시 서서히 가까이 다가섰고, 다시 힘과 영향력을 발산했다.

그 시절의 데미안에 대해 내가 무엇을 아는지 떠올려 본다. 일 년 남짓 그와 한 번도 이야기하지 않았던 것 같다. 내 쪽에서 그를 피했고, 그는 결코 재촉하지 않았다. 언젠가 우연히 마주쳤을 때 그는 고개를 끄덕여 주었다. 그다음에는 이따금씩 그의 다정함에 냉소와 묘한 비난의 섬세한 울림이 섞여 있는 것처럼 보였다. 그렇지만 그것은 내 상상이었을 수도 있다. 내가 그와 함께 겪은 사건이며 그가 당시 나에게 행사한 기이한 영향력은 그나 나나 모두 잊은 듯했다.

나는 그의 모습을 생각해 내려 한다. 그러니까 이제 그를 떠올려 보니, 그럼에도 그는 거기 있었고 내가 그의 존재에 주목했음을 알겠다. 그가 학교에 가는 모습이 보인다. 혼자 아니면 키 큰 학생들 사이에 있는 모습이, 자신의 공기에 에워싸여 자신의 법칙들 아래 살면서 낯설게, 외롭고 고요하게, 그들 사이에서 성좌처럼 거니는 모습이 보인다. 아무도 그를 사랑하지 않았다. 아무도 그와 친하지 않았다. 단 한 사람 그의 어머니 빼고는. 그런데 어머니와도 그는 어린아이처럼이 아니라 성인처럼 교류하는 듯 보였다. 선생님들은 그를 될 수 있는 대로 가만히 내버려 두었다. 그는 좋은 학생이었지만 누구의 마음에도 들려고 하지 않았다. 이따금 그가 어느 선생님에게 어떤 말을 하거나 주석을 달거나 항변을 했다는 소문을 들었다. 그 것들은 더할 나위 없이 날카로운 도전이요, 비꼼이었다.

두 눈을 감고 떠올려 본다. 그의 모습이 보인다. 그곳이 어디였던가? 그렇다, 이제 다시 그곳이었다. 우리 집 앞 골목이었다. 그곳에서 하루는 그가 손에 수첩을 들고 서서 그림을 그리는 것을 보았다. 그는 우리 집 현관문 위의, 새가 있는 오래된 문장을 그리고 있었다. 그리고 나는 어느 창가에 서서 커튼 뒤에 몸을 숨기고 그를 바라보았다. 문장을 향한 그의 주의 깊고 서늘하고 환한 얼굴을 몹시 놀라워하며 바라보았다. 그것은 어른의 얼굴, 연구가 혹은 예술가의 얼굴, 뛰어나고 의지로 가득하며, 이상하게도 환하고 서늘한, 무엇을 아는 두 눈을 지닌 얼굴이었다.

또다시 그의 모습이 보인다. 얼마 지나지 않아서 거리에서였다. 학교에서 돌아오는 길에 우리 모두는 쓰러진 말 한 마리를 에워싸고 서 있었다. 말은 농가에서 쓰는 수레 앞에서 끌채에 아직도 매인 채 무언가를 찾는 듯 간신히 열린 콧구멍으로 숨을 헐떡거리며 어딘가의 상처에서 피 흘리고 있었고, 말의 옆구리께에서는 거리의 하얀 먼지가 천천히 검붉게 피를 빨아들이고 있었다. 나는 메스꺼워서 그 광경에서 몸을 돌렸을 때 데미안의 얼굴을 보았다. 그는 앞으로 밀고 나와 있지 않았다. 편안하고 상당히 멋지게, 그에게 어울리게 멀찍이 뒤쪽에 서 있었다. 그의 시선은 말의 머리를 향해 있었고 다시금 그 깊고 고요하고 거의 광적이지만 격정적이지는 않은 주의력을 띠고 있었다. 나는 오래 그를 바라보지 않을 수 없었으며 비록 분명

하지는 않았지만 무언가 매우 독특한 것을 그때 느꼈다. 나는 데미안의 얼굴을 보았다. 그가 소년의 얼굴이 아니라 어른의 얼굴을 가졌다는 것뿐만 아니라 더 많은 것을 보았다. 보았다고 혹은 감지했다고 믿었다. 그것이 남자의 얼굴만은 아니며 또 다른 무엇이라는 것을. 여자 얼굴도 그 안에 조금 들어 있는 듯했다. 특히 그 얼굴은 내게 한순간 남자답거나 어린이답지 않고, 왠지 수천 살은 된 것처럼, 왠지 시간을 초월한 듯 우리가 사는 것과는 다른 시대의 인장이 찍힌 것처럼 보였다. 짐승들 아니면 나무들 아니면 별들이 그렇게 보일 수 있었다. 지금 내가 성인이 되어 말하는 것을 그때는 알 수 없었고, 정확하게 느끼지 못했다. 다만 무언가 비슷한 것을 느꼈을 뿐이다. 어쩌면 그는 미남이었을 것이고, 어쩌면 내 마음에 들었을 것이고, 어쩌면 거슬리기도 했을 것이다. 그것 또한 구분이 되지 않았다. 내가 본 것은 오직 그가 우리와는 다르다는 사실, 그가 한 마리 짐승 아니면 유령 아니면 어떤 형상 같다는 것이었다. 그때 그의 모습이 어땠는지 모르겠지만, 그는 달랐다. 우리 모두와 상상할 수 없을 만큼 달랐다.

더는 기억이 나지 않는다. 어쩌면 이만큼도 부분적으로는 나중의 인상들에서 재구성한 것인지도 모르겠다.

몇 살 더 나이가 들었을 때에야 비로소 나는 마침내 다시 그와 더 가깝게 접촉하게 되었다. 데미안은 교회에서 관습에 따라 받는 견진 성사를 또래들과 함께 받지 않았으며, 그것에 대해서도 소문들이 당장 꼬리를 물었다. 학교에서는 그가 사실은 유대인이라고, 아니 이교도라고들 했다. 그리고 어떤 사람들은 그가 어머니와 함께 어떤 종교도 갖지 않았거나 어떤 황당하고 나쁜 소수 종파 소속이라고 생각했다. 그것과 연관해서 그가 어머니와 애인처럼 살고 있다는 의심도 받았던 것 같다. 추측건대 이랬을 것이다. 그는 그때까지 아무런 신앙 없이 자란 것 같았다. 그런데 그 점이 그의 장래에 불이익을 초래할지도 모른다는 우려를 낳았던 것 같다. 어쨌든 그의 어머니는 또래보다 이 년 늦게야 그를 견진 성사에 참여시킬 결심을 했다. 그렇게 해서 그가 몇 달간 견진 교리 수업을 나와 같이 듣게 되었다.

한동안 나는 그와 완전히 거리를 두었다. 그의 일에 관여하고 싶지 않았다. 그는 너무나도 소문과 비밀에 싸여 있었던 것이다. 그러나 무엇보다 거슬렸던 것은 크로머 사건 이래 내 마음속에 남아 있던 의무감이었다. 그리고 바로 당시 나는 나 자신의 비밀들에 열중하고 있었다. 나에게는 견진 교리 수업을 들은 시기와 성 문제에 결정적으로 눈을 뜬 시기가 일치했다. 그리고 그 때문에 선의에도 불구하고 경건한 가르침에 관심 갖기가 힘든 상태였다. 신부님이 말하는 일들은 나로부터 멀리 떨어져 고요하고 성스러운 비현실 속에 놓여 있었다. 그것들은 대단히 아름답고 가치 있을지언정 결코 현실적이거나 자극적이지 않았음에 반해 성에 눈을 떠 가는 일은 바로 목전의 현실이고 극도로 자극적이었다.

이러한 상태가 나를 수업에 무관심하게 만들수록 나의 관심은 막스 데미안에게 더 접근했다. 그 무언가가 우리를 묶어 주는 것 같았다. 나는 이 끈을 될 수 있는 대로 정확하게 따라가야겠다. 기억해 낼 수 있는 한에서 그것은 어느 이른 아침 수업 시간에 시작되었는데 아직 교실에 등불이 켜져 있을 때였다. 우리 종교 담당 선생님의 이야기가 카인과 아벨 이야기에 이르렀다. 나는 신부님 이야기에 거의 주목하지 않았다. 나는 졸렸고 거의 귀 기울이지 않았다. 그때 신부님이 목소리를 높여 카인의 표적에 관해 강하게 이야기하기 시작했다. 바로 그 순간 나는 무언가가 와 닿은 듯한, 혹은 경고를 받은 듯한 느낌이 들었다. 시선을 드는데, 줄지어 놓인 앞쪽 책상으로부터 데미안의 얼굴이 나를 향해 뒤로 돌려져 있는 것이 보였다. 조롱일 수도 진지함일 수도 있는 환하고 무언가를 말하는 듯한 눈으로. 그는 다만 한순간 나를 바라보았다. 나는 갑자기 한껏 긴장해 신부님의 말에 귀 기울였다. 카인과 그 표적에 대해 이야기하는 것을 들으며, 내 마음속 깊은 곳에서 한 가지 깨달음이 감지되었다. 그것은 신부님이 가르치는 것과 같지 않다는, 그것은 달리 볼 수도 있다는, 그 점을 비판할 수 있다는 깨달음이었다.

그 일 분간 데미안과 나 사이는 다시 결합되었다. 그리고 특이하게도 영혼이 서로에게 속해 있다고 느끼자마자 그 느낌이 얼마나 마술처럼 공간으로도 옮겨 가는지 나는 보았다. 그가 직접 그렇게 일을 만들 수 있었는지 아니면 순수한 우연이었는지는 모르지만 당시만 해도 나는 우연을 확고하게 믿었다. 며칠 지나지 않아 데미안이 종교 수업 시간에 갑자기 자리를 바꾸어 바로 내 앞에 앉았다.(넘치게 가득 찬 교실의 비참한 빈민들 냄새 한가운데서 그의 목덜미에서 풍겨 오는 감미롭고 신선한 비

누 냄새 맡기를 내가 얼마나 좋아했던가를 아직도 기억한다.) 그러고는 다시 며칠 뒤 그가 다시 자리를 바꾸어 이제는 내 옆에 앉았는데, 겨울 내내 그리고 봄이 다 가도록 그 자리에 그대로 앉아 있었다.

아침 수업 시간들은 완전히 변했다. 이제는 졸리거나 지루하지 않았다. 그 시간이 올 생각을 하면 미리부터 즐거웠다. 이따금씩 우리 둘은 집중하며 신부님의 말에 귀를 기울였다. 묘한 이야기, 이상한 격언을 나에게 시사해 주는 데에는 내 짝의 눈길 한 번이면 충분했다. 그리고 내 마음속에서 비판이나 회의를 일깨우기 위해 내게 경고하는 데에는 그의 다른 시선 한 번, 아주 단호한 눈길 한 번이면 충분했다.

자주 우리는 나쁜 학생이었다. 수업을 전혀 듣지 않았다. 데미안은 선생님과 동급생에게 늘 공손했으며 나는 그가 남자 아이들 특유의 멍청한 짓들을 저지르는 것을 한 번도 보지 못했다. 커다랗게 웃거나 떠드는 소리를 듣지 못했다. 그는 선생님의 비난이 한 번도 자신에게 돌려지지 않게 했다. 그러나 아주 나직하게, 그리고 소리 낮춘 귓속말들보다는 오히려 신호와 시선으로 나로 하여금 그가 나름으로 열중하는 일들에 관심을 갖게 할 줄 알았다. 그 일들은 부분적으로는 묘한 것들이었다.

예를 들면 그는 내게 학생들 중 누가 자기한테 관심이 있는지, 자기가 어떤 식으로 그들을 연구하고 있는지 말해 주었다. 어떤 애들에 대해서는 그가 아주 정확하게 알았다. 성경 구절 독송이 시작되기 전에 그가 말했다. "내가 너에게 엄지손가락으로 신호를 해 보이면 저 애가 우리 쪽을 돌아보거나 목덜미를 긁을 거야." 등등. 그러다 수업 중에, 그때쯤이면 좀 전에 들은 말은 생각하지도 않고 있을 때 막스가 갑자기 눈에 띄는 태도로 자기 엄지손가락을 돌려 보였다. 나는 얼른 그가 가리킨 학생을 지켜보았다. 그가 가리킨 아이가 번번이, 철사에 매여 당겨지기라도 하듯 요구받은 몸짓을 하는 것을 나는 보았다. 나는 선생님한테도 그것을 한번 시험해 보라고 막스를 졸랐다. 그렇지만 그것은 하려 하지 않았다. 그러나 한 번, 내가 수업에 들어가며 그에게 오늘은 예습을 해 오지 않아 신부님이 나에게 아무것도 묻지 않으면 정말 좋겠다고 말했을 때 그가 나를 도와주었다. 신부님은 교리 문답의 한 단락을 말하게 할 학생을 찾고 있었는데, 신부님의 떠돌던 시선이 죄의식에 찬 내 얼굴에서 멈추었다. 신부님이 천천히 다가와 나를 향해 손가락을 뻗치고 내 이름이 벌써 그 입술에 올려졌나 싶었을 때, 그때 갑자기 신부님의 얼굴이 산만해지더니 혹은 불안정해지더니 그가 옷깃을 당기며 자신의 얼굴을 똑바로 응시하고 있는 데미안에게 가서 뭔가를 물으려는 듯했다. 그러나 놀라 다시 그 자리를 떠나며 한동안 기침을 했고 그다음에는 다른 학생을 시켰다.

이 장난이 나를 몹시 흥겹게 하는 동안 내 친구가 나에게도 여러 번 똑같은 장난을 했다는 것을 나는 서서히 알아차렸다. 내가 학교 가는 길에서 갑자기, 데미안이 나보다 한 구간 뒤에서 오고 있다는 느낌을 받는 일이 있었다. 그래서 몸을 돌리면 바로 그곳에 그가 있곤 했다.

"도대체 어떻게 형은 다른 사람이 형의 뜻대로 생각하지 않을 수 없도록 만들 수 있는 거야?" 내가 그에게 물었다.

그는 침착하게 사실대로, 특유의 어른다운 태도로 선선히 알려 주었다.

"아니야." 그가 말했다. "그렇게 할 수는 없어. 신부님이 아무리 있다고 말씀하셔도 자유 의지란 없어. 다른 사람 쪽에서 그가 원하는 생각을 할 수도 없거니와 내 쪽에서 원하는 생각을 그가 하게 만들 수도 없어. 그러나 누군가를 잘 관찰할 수는 있는 것 같아. 그가 다음 순간에 무얼 할지 말이야. 그건 아주 간단해, 사람들이 모를 뿐이야. 물론 연습이 필요하지. 예를 들면 나비 종류 중에는 어떤 나방들이 있는데, 암컷이 수컷보다 훨씬 적어. 나비는 다른 모든 동물과 똑같이 번식해. 수컷이 암컷을 수태시키고, 그러면 암컷이 알을 낳지. 그런데 연구자들이 자주 시험해 본 바로는, 이 나방들 중에 암컷이 한 마리 있으면 밤에 수나방들이 이 암컷에게 날아오는데, 그것도 여러 시간 걸리는 곳에서 오는 거야, 여러 시간 걸리는 곳에서! 생각해 봐! 이 모든 수컷들은 몇 킬로미터 밖에서 그 지역에 있는 단 한 마리의 암컷을 감지하고 추적해 오는 거야! 그것을 설명하려고들 하지만 어려운 일이지. 그건 일종의 후각 같은 무엇일 거야. 이를테면 좋은 사냥개가 눈에 띄지 않는 짐승의 자취를 찾아내 따라갈 수 있는 것처럼 말이야. 이해하겠지? 그건 그런 일들이야. 자연은 그런 일로 가득하고, 아무도 그걸 밝힐 수 없어. 이런 말은 할 수 있겠지. 이 나방들 가운데 암컷이 수컷처럼 흔했더라면 수컷들의 코는 그렇게 예민해지지 못했을 거라고. 수컷들의 코가 그렇게 예민한 것은 다만 스스로를 그렇게 조련했기 때문이야. 어떤 짐승이나 사람이 자신의 모든 주의력과 모든 의지를 어떤 특정한 일로 향하게 하면 그는 그것에 도달하기도 하지. 그게 전부야. 네가 알고 싶어 한 일도 정확하게 같아. 어떤 사람을 충분히 자세히 바라봐. 그러면 그에 대해서 그 자신보다 네가 더 잘 알게 돼."

하마터면 '독심술'이란 단어를 입 밖에 내고 그로써 그렇게 오래전 일인 크로머와의 장면을 그에게 떠올리게 할 뻔했다. 그러나 그것은 이제 우리 둘 사이에 있는 이상한 일 가운데 하나이기도 했다. 그나 나나 결코 몇 년 전 그가 한 번 그토록 심각하게 내 인생에 개입한 일을 아주 살짝 암시하는 일조차 없었다. 마치 그 전에는 우리 사이에 아무 일도 없었던 듯했다. 아니면 양쪽 모두 상대방은 그것을 잊었다고 굳게 믿는 듯했다. 한 번 혹은 두 번, 심지어 우리가 함께 길을 가다가 그 프란츠 크로머를 마주친 일도 있었다. 그러나 우리는 눈길 한 번 주고받지 않았다. 그에 관해 한마디도 하지 않았다.

내가 물었다. "하지만 의지는 어떻게 되는 거지? 자유 의지란 없다고 말했잖아. 그런데 다시 오직 자기 의지만 확고하게 무언가에 쏟으면 된다고 말했지, 그러면 자기 목표에 도달할 수 있다고. 그건 앞뒤가 맞지 않잖아! 내가 내 의지의 주인이 아니라면 내 의지를 마음대로 이런저런 데로 향하게 할 수도 없는 것 아니야."

그가 내 어깨를 툭툭 쳤다. 그것은 내가 그를 기쁘게 할 때마다 그가 하는 행동이었다.

"네가 그걸 묻다니 훌륭해!" 그가 웃으며 말했다. "언제나 물어야 해, 언제나 의심해야 하고. 그러나 일은 아주 간단해. 예를 들면 그런 나방이 자신의 뜻을 별이나 그 비슷한 곳까지 향하게 하려 했다면 그건 이룰 수 없는 일이겠지. 다만 나방은 그런 시도는 안 해. 나방은 자기에게 뜻과 가치가 있는 것, 자기가 필요로 하는 것, 자기가 꼭 가져야만 하는 것, 그것만 찾는 거야. 그리고 바로 그렇기 때문에 믿을 수 없는 일도 이루어지지. 자기 말고 다른 동물은 갖지 못한 마법의 육감을 개발하는 거야! 우리 같은 사람은 동물보다는 활동의 여지가 더 많고 관심도 더 크겠지. 그러나 우리도 얼마만큼은 정말 좁은 테두리에 매여 있어서 그걸 벗어날 수 없어. 상상 같은 건 해 볼 수 있지, 이런저런 상상의 날개를 펼 수는 있겠지, 북극에 꼭 가고 싶다든가 하는 것을. 그러나 그걸 수행하거나 충분히 강하게 원할 수 있는 것은 오로지 소망이 나 자신의 마음속에 온전히 들어 있을 때, 내 본질이 정말로 완전히 그것으로 채워져 있을 때뿐이야. 그런 경우라면, 너의 내면에서 명령하는 무언가를 네가 해 보기만 하면 그럴 때는 좋은 말에 마구를 매듯 네 온 의지를 팽팽히 펼 수 있어. 예를 들면 내가 지금 우리 신부님이 앞으로 안경을 안 쓰도록 힘써 봐야겠다고 한다면 그건 안 될 일이야. 그건 그냥 장난이야. 그러나 내가 그때 가을처럼, 저 앞에 있는 내 의자에서 자리를 바꿔야겠다는 확고한 의지를 가지면 그럴 때는 아주 잘되지. 그때 알파벳순으로 하면 내 앞에 앉아야 되는데 그때까지 아파서 등교하지 못해 자리가 없던 아이가 갑자기 나타났어. 그리고 누군가가 그에게 자리를 만들어 줘야 했고 물론 내가 그렇게 했지. 내 의지가 준비되어 있었기 때문에 즉시 기회를 포착한 거야."

"그래." 내가 말했다. "그때 그 일도 아주 특이했더랬어. 우리가 서로 관심을 가진 순간부터 형은 내 자리에 점점 더 가까이 다가왔어. 그런데 그건 어떻게 된 거지? 처음부터 바로 내 옆에 앉지는 않았어. 몇 번 내 앞쪽에 앉았잖아, 안 그래? 어떻게 그렇게 됐지?"

"그건 그랬어. 처음 자리를 떠났으면 했을 때 나 자신이 어디로 가고 싶은지 제대로 몰랐어. 내가 의식한 것은 멀리 뒤쪽에 앉고 싶다는 것뿐이었어. 너에게 가는 것이 내 뜻이었는데, 그게 그때만 해도 나 자신에게는 의식되지 않은 거야. 동시에 너의 의지가 나를 도와 함께 끌어 준 거야. 그러다 내가 거기네 앞자리에 앉았을 때에야 비로소 내 소망의 절반이 이루어졌다는 생각에 이르게 되었지. 나는 알아차렸어. 내가 원래 원했던 것은 다름 아니라 네 옆에 앉는 것이었음을 말이야."

"하지만 그때는 새로운 애도 들어오지 않았는데."

"들어오지 않았지. 하지만 그때는 그냥 내가 원하는 것을 해 버렸어. 재빨리 네 곁에 앉아 버린 거지. 나하고 자리를 바꾼 아이는 다만 조금 의아해하며 그러라고 했어. 그리고 변화가 일어났다는 것을 신부님이 한 번 알아차리기는 하셨는데, 아무튼 번번이 신부님이 나하고 관계될 때면 남모르게 무언가가 신부님을 괴롭히는 거야. 내 이름이 데미안이고, 이름이 D로 시작하는 내가 거기 아주 뒤 이름이 S로 시작하는 아이들 가운데 앉아 있는 것이 맞지 않는다는 걸 아시거든! 그러나 그 사실이 의식 속으로까지 뚫고 들어가지 않는 거야. 내 의지가 거기에 맞서기 때문이고 내가 거듭거듭 그 점에서 그분께 장애가 되거든. 거기 뭔가가 맞지 않는다는 걸 거듭 알아차리시기는 하지. 그래서 나를 바라보고 연구를 시작하시는 거야, 그 선한 분이. 그러나 그때 내게는 단순한 방법이 있지. 매번 아주아주 똑바로 그분 눈을 들여다보는 거야. 그러면 거의 모든 사람이 못 견디지. 다들 불안해져. 만약 네가 누군가로부터 무언가를 얻으려 하고 느닷없이 아주 힘을 주고 똑바로 그의 눈을 쏘아보는데도 그가 전혀 불안해하지 않거든 포기해! 그런 사람에게서는 아무것도 이룰 수 없어, 결코! 하지만 그런 일은 아주 드물어. 내가 아는 사람 중에 그렇게 해 봐도 아무 소용 없는 사람은 사실 단 한 명뿐이었어.”

“그게 누군데?”내가 얼른 물었다.

그가 눈을 약간 가느스름히 뜨고 나를 바라보았다. 그는 생각에 잠기면 눈을 그렇게 떴다. 그러더니 그는 눈길을 딴 데로 돌리고 대답하지 않았다. 나는 몹시 궁금했지만 그 질문을 되풀이할 수는 없었다.

그러나 그때 그가 자기 어머니 이야기를 했다고 생각한다. 그는 어머니와 몹시 친하게 지내는 것 같았지만, 나에게는 한 번도 어머니 이야기를 하지 않았고, 나를 한 번도 집으로 데려간 적이 없었던 것이다. 그의 어머니가 어떻게 생겼는지조차 나는 잘 몰랐다.

당시 나도 이따금씩은 시험을 해 보았다. 그와 똑같이 내 의지를 무언가에, 내가 그것에 틀림없이 도달하도록 한데 모아 보았다. 나에게는 충분히 절실해 보이는 소망이 있었다. 그러나 내 의지는 모아지지 않았다. 데미안과 그 이야기를 해 볼 용기는 내지 못했다. 내가 소망하는 것을 그에게 고백할 수 없었던 것 같다. 그리고 그도 묻지 않았다.

종교 문제에 있어 나의 신앙에는 그사이 많은 빈틈이 생겼다. 그렇지만 전적으로 데미안의 영향을 받은 나의 생각은 완전한 불신을 굳이 내보이는 동급생들의 생각과는 뚜렷하게 구분되었다. 그렇게 불신을 굳이 내보이는 학생들이 몇 명 있었는데 그들이 이따금씩 흘리는 말은 어떤 신을 믿는 것은 우스꽝스럽고 인간으로서 품위 없는 일이라느니, 삼위일체에 관한 이야기나 예수의 동정녀 탄생과 같은 이야기들은 그저 웃기는 일이라느니, 오늘날까지 그런 잡동사니를 가지고 다니는 행상이 있다는 것은 수치라느니 하는 것이었다. 나는 결코 그렇게 생각하지 않았다. 때로 의심을 가지면서도 내 유년의 모든 체험에서 나는 우리 부모님이 사는 것 같은 경건한 삶의 현실에 관해서 충분히 알았다. 경건한 삶이란 품위 없는 것도 허위도 아님을 알았다. 오히려 종교적인 것에 대해 나는 예나 지금이나 지극히 깊은 경외심을 가지고 있다. 다만 데미안은 나로 하여금 성서의 설화들과 교리들을 보다 자유롭게, 보다 개인적으로, 보다 유희적으로, 보다 환상에 차서 바라보고 해석해 내는 데 익숙해지게 해 주었다. 적어도 나는 그가 친근하게 제시해 준 해석들을 늘 기꺼이 따랐다. 물론 많은 것이 나에게는 너무 갑작스러웠다. 카인에 대한 일도 그랬다. 그리고 한번은 견진 교리 수업 중에 그가 훨씬 더 대담한 견해로 나를 놀라게 했다. 선생님이 골고다 언덕에 대한 이야기를 막 끝낸 참이었다. 구세주의 고난과 죽음에 대한 성서의 보고가 나에게는 아주 어린 시절부터 깊은 인상을 남겼더랬다. 어린 소년이었을 적 이따금씩 성금요일 같은 때 아버지가 예수 수난사를 낭독하고 나면 나는 깊이 감동해 이 비통하게 아름답고, 창백하고, 섬뜩하지만 무시무시하게 생명력 있는 세계 속에서 살았다. 겟세마네 동산과 골고다 언덕에서 살았다. 그리고 바흐의 「마태 수난곡」을 들을 때면 비밀로 가득한 이 세계가 지닌 음울하면서도 힘 있는 열정의 광채가 온갖 신비로운 전율로 나를 뒤덮었다. 나는 오늘도 이 음악과 '비극적 행위'에서 모든 시와 모든 예술적 표현의 총괄 개념을 발견한다.

그런데 그 수업 시간의 끝에 데미안이 생각에 잠겨 나에게 말했다. "저기엔 무언가가 있어, 싱클레어, 내 마음에 들지 않는 무언가가. 이 이야기를 한번 따라 읽어 봐. 그리고 한마디 한마디 음미해 봐. 맥 빠진 맛이 나는 무언가가 있어. 예수와 함께 십자가에 매달린 두 도둑에 대한 이야기 말이야. 언덕 위에 십자가 세 개가 나란히 서 있는 모습은 굉장하지! 하지만 우직한 도둑들에 대한 감상적인 선교 전단용 이야기야! 도둑은 처음에 수치스러운 행위를 저지른 범죄자였어. 신은 그 모든 것을 알아. 그런데 이제 막판에 와서 마음이 누그러져 그런 개전(改悛)과 회개의 징징거리는 축제를 치르는 거야! 무덤에서 두 발자국 떨어진 곳에서 하는 그런 회개가, 너에게 묻겠는데, 무슨 의미가 있다고 생각해? 그건 또 정말 엉터리 신부님의 설교일 뿐 그 이상은 아니야. 달착지근하고 부정직하고 지극히 교화적인 배경에 측은지심의 엿기름을 곁들인 거지. 만약 네가 오늘 그 도둑들 중 하나를 친구로 택해야 한다면, 혹은 둘 중 누구를 더 신뢰할 수 있겠는지 생각해야 한다면, 그건 아주 분명히 이 징징거리는 개종자 쪽은 아닐 거야. 다른 쪽이야. 회개하지 않은 도둑이야말로 사나이잖아, 개성 있고 말이야. 그는 개종 따위를 우습게 알았어. 그런 건 그의 처지에서는 그저 듣기 좋은 말이겠지. 그는 자신의 길을 끝까지 갔어. 그리고 자신이 거기까지 가도록 도와준 악마로부터 마지막 순간에 비겁하게 도망가지 않았어. 그는 당당한 개성을 가졌어. 성서 이야기에서는 개성을 가진 사람들이 자주 손해를 보지. 어쩌면 그도 카인의 후예일 거야. 그렇게 생각하지 않니?"

나는 몹시 당황했다. 이 십자가 수난 이야기는 나 자신이 내 집처럼 편안히 확신해도 된다고 믿었는데 지금 비로소 내가 얼마나 개성 없이, 얼마나 상상력과 환상 없이 그것들을 듣고 읽었는지 알았다. 그럼에도 데미안의 새로운 생각은 치명적으로 들렸고 그 존속을 고수해야 한다고 믿었던 내 안의 개념들을 전복시키려 위협했다. 아니다. 그렇게 아무나, 지고(至高)의 성인(聖人)까지 마구 함부로 다룰 수는 없었다.

언제나 그러듯이 내가 그 무언가를 말하기도 전에 그는 나의 저항을 즉시 알아차렸다.

"나도 이미 알아." 그가 체념하며 말했다. "그건 오래된 이야기지. 심각할 거 없어! 하지만 네게 뭔가를 말하고 싶었어. 여기에 이 종교의 흠을 아주 똑똑하게 볼 수 있는 점이 하나 있는 거야. 중요한 건 이 온전한 유일신, 구약과 신약의 신이 탁월한 분이기는 하지만 원래 그가 표상하는 신은 아니라는 점이야. 그는 선, 고귀함, 아버지다움, 아름답고 드높은 것, 감상적인 것이지. 옳아! 그러나 세계는 다른 것으로도 이루어져 있어. 그런데 다른 건 죄다 그냥 악마한테로 미뤄지는 거야. 세계의 이 다른 부분이 통째로, 이 절반이 통째로 숨겨지고 묵살되는 거야. 바로 사람들이 신을 모든 생명의 아버지로 기리면서도 생명이 근거하는 성생활은 간단히 묵살하고 어쩌면 악마의 일이며 죄악이라고 선언하는 거야! 이런 신을 여호와라고 존경하는 것에 대해서는 전혀 반대하지 않아, 조금도 반대하지 않아. 하지만 우리는 모든 것을 존경하고 성스럽게 간직해야 한다고 생각해. 인위적으로 분리시킨 이 공식적인 절반뿐만 아니라 세계 전체를 말이야! 그러니까 우리는 신을 위한 예배와 더불어 악마를 위한 예배도 가져야 해. 그게 올바른 일인 것 같아. 혹은 예배를 하나 더 만들어야 할 것 같아. 악마도 그 안에 포함하고, 지극히 자연스러운 세상일들이 일어날 때 그 앞에서는 눈을 감지 않아도 되는 신을 위해서 말이야."

그는 평소답지 않게 거의 격해졌다. 그렇지만 곧바로 다시 미소를 띠었고 더 이상은 나에게 강요하지 않았다.

그러나 내 마음속에서는 이 말들이 소년 시절 내내 매 순간 내 안에 지니고 다니면서 누구에게도 한마디도 하지 않았던 수수께끼에 적중했다. 데미안이 그때 신과 악마에 대해, 신적이고 공식적인 것과 묵살된 악마적 세계에 대해 말했던 것, 그것은 실로 바로 나 자신의 생각, 나 자신의 신화, 두 세계 혹은 세계의 두 절반, 밝은 세계와 어두운 세계에 관한 생각이었다. 나의 문제가 모든 인간의 문제, 모든 삶과 생각의 문제라는 통찰이 갑자기 신성한 그림자처럼 나를 뒤덮었다. 그리고 가장 나다운 개인적인 삶과 생각이 얼마나 깊이 거대한 사유의 영원한 흐름에 관여되어 있는가를 보고 갑자기 느끼게 되자 두려움과 경외심이 나를 압도했다. 그 통찰은 즐겁지 않았다. 확인해 주고 행복하게 해 주는 것이었는데도 왠지 즐겁지 않았다. 그 통찰은 가혹했다. 떫은맛이었다. 그 안에는 일말의 책임의식이, 이제는 어린아이일 수 없다는, 홀로 서 있다는 울림이 들어 있었기 때문이다.

내 생에서 처음으로 그토록 깊은 비밀을 드러내면서 나는 내 친구에게 아주 어린 시절부터 존속한 '두 세계'에 대한 견해를 들려주었다. 그리고 그는 즉시, 그것을 통해 나의 가장 깊은 느낌이 그의 말에 동의하고 그를 옳다고 여긴다는 것을 알았다. 그렇지만 무언가를 그렇게 남김없이 이용하는 것은 그의 방식이 아니었다. 그는 그 어느 때보다 더욱 주의 깊게 귀 기울이며 내 눈을 들여다보았다. 마침내 내가 눈을 돌려야만 했다. 왜냐하면 나는 그의 시선 속에서 다시 그 이상한, 동물적인 시간 초월성, 그 생각해 낼 수 없는 아득한 나이를 보았기 때문이다.

"그 얘긴 다음에 더 하자." 그가 배려해 주듯 말했다. "네가 누구에게 말할 수 있는 것보다 더 많이 생각한다는 걸 알았어. 하지만 그렇다면 넌 네가 생각한 것을 결코 그대로 다 체험하지 못했다는 것도 아는 거야. 그런데 그건 좋지 않아. 생각이란 우리가 그대로 따르고 살 때에만 가치 있어. 네 '허용된 세계'가 세계의 절반에 불과하다는 걸 넌 알았어. 그리고 두 번째 절반을 감추려고 했어. 신부님들과 선생님들이 그러듯이. 넌 그걸 감추지 못할 거야! 누구도 안 돼, 일단 생각을 시작하면 말이야."

그 말이 나에게 깊이 와닿았다.

"하지만……." 내가 소리치다시피 말했다. "하지만 실제로 금지된 추한 일들이 있어, 그건 형도 부인하지 못할 거야! 그런 일들이 일단 금지돼 있으면 우리는 그걸 포기해야만 해. 살인 그리고 별별 악덕들이 존재한다는 건 알아. 하지만 그것이 존재한다는 이유만으로 나더러 가서 범죄자가 되라는 거야?"

"우리가 오늘 이 이야기를 다 끝낼 수는 없겠다." 막스가 나를 가라앉혔다. "너더러 누굴 쳐 죽이라든지 소녀를 강간 살인하라는 건 물론 아니야, 아니지. 하지만 '허용되었다', '금지되었다'라는 것이 사실 무엇인지 통찰할 수 있는 곳에 넌 아직 가 보지 못했어. 비로소 하나의 진실을 느낀 것뿐이야. 다른 게 또 올 거야. 그것에 자신을 내맡겨 봐! 예를 들면 넌 일 년 전쯤부터 네 속에서 다른 모든 충동보다 강한 한 가지 충동을 느끼고 있을 거야. 그런데 그건 '금지된' 것으로 간주되지. 그리스인들 그리고 다른 많은 민족들은 반대로 이 충동을 신성하게 여기고 큰 축제를 벌이며 그것을 기렸어. '금지되었다'라는 것은 그러니까 영원하지 않아, 바뀔 수 있는 거야. 오늘도 누구든 어떤 여인과 함께 신부님 앞에서 결혼하고 나면 동침해도 돼. 다른 민족들에게서는 달라, 오늘날에도 말이야. 그러니까 우리 누구나 자기 스스로 찾아내야 해, 무엇이 허용되고 무엇이 금지되어 있는지, 자기에게 금지되어 있는지. 금지된 것은 결코 할 수 없어. 금지된 것을 하면 대단한 악당이 될 수 있지. 거꾸로 악당이라야 금지된 일을 할 수 있기도 하고 말이야. 사실 그건 그냥 편안함의 문제거든! 지나치게 편안해서 스스로 생각하고 스스로 자신의 판결자가 되지 못하는 사람은 금지된 것 속으로 그냥 순응해 들어가지. 늘 그러게 마련이듯이 그런 사람은 살기가 쉬워. 다른 사람들은 운명을 자기 속에서 스스로 느끼지. 그들에게는 명예로운 남자라면 누구나 날마다 하는 일들이 금지돼 있어. 그러나 다른 곳에서는 폄하되는 다른 일들은 허용돼 있어. 그러니 누구나 자기 자신 편에 서야 해."

그는 갑자기 그렇게 말을 많이 한 것을 후회하는 듯 말을 뚝 끊었다. 그가 어떻게 느끼는지 그때 나는 느낌으로 벌써 어느 정도 이해할 수 있었다. 그렇게 편안하게 그리고 겉보기에 경솔하게 그가 떠오른 생각들을 말하곤 했어도, 그가 언젠가 말했듯 '오로지 말을 늘어놓기 위한' 대화를 그는 결코 견디지 못했다. 그런데 나에게서는 진정한 관심과 더불어 너무 많은 유희, 너무 많은 재치 있는 수다에 대한 기쁨 혹은 그 비슷한 무엇을, 간단히 말해서 완벽한 진지함의 부족을 감지했던 것이다.

내가 방금 쓴 마지막 말('완벽한 진지함')을 다시 읽어 보니 갑자기 다른 장면 하나가 다시 떠오른다. 내가 아직 절반은 어린아이이던 그 시절에 막스 데미안과 겪은 가장 강렬한 장면이다.

우리의 견진 성사가 다가오고 있었다. 종교 수업의 마지막 몇 시간에 우리는 최후의 만찬에 관해 배우게 되었다. 신부님에게는 그것이 중요했고, 그래서 더 신경을 썼으며, 이 시간에는 얼마만큼 축성의 분위기가 느껴졌다. 그러나 바로 마지막 교리 수업 몇 시간 동안에 나의 생각은 다른 것에 묶여 버렸다. 바로 내 친구라는 인물에. 교회 공동체 안으로 장엄하게 받아들여지는 의미를 가지는 견진 성사가 닥쳐오는 것을 보면서 내게는 대략 반년간의 교리 수업의 가치가 우리가 교실에서 배운 것 가운데보다는 데미안의 곁에, 그 영향을 받은 것에 있다는 생각이 물리칠 수 없게 밀려왔다. 이제 내가 받아들여질 준비가 된 것은 교회가 아니라 무언가 전혀 다른 것이었다. 그것은 어떻게든 지상에 존재함에 틀림없는, 그 대표자이자 사신(使臣)이 내 친구라고 느껴지는 사상과 개성의 종단(宗團)이었다.

나는 이 생각을 밀쳐놓으려 해 봤다. 그 모든 것에도 불구하고 견진 성사 잔치를 어느 정도 품위 있게 경험하리라고 엄숙하게 생각했던 것이다. 그런데 그 품위는 나의 새로운 생각들과는 별로 어울리지 않는 것 같았다. 그렇지만 나는 내가 원하는 것을 하고 싶었다. 나 나름의 생각이 있었고, 그 생각이 서서히 다가온 교회 축제에 대한 생각과 연결되어 나는 이

잔치를 다른 사람들과는 다르게 치를 준비가 되어 있었다. 나에게는 그 잔치가 데미안 덕에 알게 된 사고의 세계로 받아들여짐을 뜻할 터였다.

그 무렵이었다. 다시 한번 우리는 활발한 논쟁을 벌였다. 바로 교리 수업 전이었다. 내 친구는 단추라도 채워진 듯 꽤 노숙하고 점잖 빼는 것이었을 내 이야기에 아무런 기쁨을 느끼지 못했다.

"우리 이야기를 너무 많이 한다." 그가 서먹할 만큼 진지하게 말했다. "똑똑한 이야기를 늘어놓는 건 전혀 가치 없어, 아무 가치도 없어. 자기 자신으로부터 떠나는 건 죄악이지. 자기 자신 안으로 완전히 기어들 수 있어야 해, 거북이처럼."

그 직후 우리는 넓은 교실로 들어갔다. 수업이 시작되었다. 나는 주목하려고 애썼고, 데미안은 그러는 나를 방해하지 않았다. 한참 뒤에 그가 앉아 있는 내 옆쪽에서 무언가 이상한 느낌이 왔다. 마치 자리가 보이지 않게 비어 버린 듯 일종의 공허 혹은 서늘함 혹은 그 비슷한 무엇이 느껴졌다. 그 느낌이 조여들기 시작했을 때 나는 옆쪽을 보았다.

그곳에 내 친구가 앉아 있는 것을 보았다. 여느 때처럼 꼿꼿하고 바른 태도로. 그러나 그럼에도 그는 여느 때와는 아주 달랐다. 내가 알지 못하는 무언가가 그에게서 나왔고 무언가가 그를 에워싸고 있었다. 나는 그가 눈을 감았다고 생각했다. 그러나 그는 눈을 뜨고 있었다. 그 눈은 그러나 아무것도 바라보지 않았다. 보는 것이 아니라 굳어 있었고 내면을 향해 혹은 아주 먼 곳을 향해 있었다. 전혀 꼼짝달싹도 않고 그는 거기 앉아 있었다. 숨도 쉬지 않는 것처럼 보였으며 그의 입은 나무나 돌로 깎아 놓은 것 같았다. 그의 얼굴은 핏기가 없었고 돌처럼 고르게 창백했다. 갈색 머리카락만 살아 있는 것 같았다. 그의 두 손은 물건처럼, 돌이나 열매처럼 생명 없이 고요히, 창백하고 까딱도 없이 그의 앞 긴 의자 위에 놓여 있었다. 그렇지만 맥없이 늘어지지는 않고 숨겨진 강한 삶을 에워싸고 있는 단단하고 훌륭한 껍데기 같았다.

그 광경에 나는 떨었다. '그가 죽었다!'라고 나는 생각했다. 크게 소리 내어 말할 뻔했다. 그러나 그가 죽지 않았다는 것을 나는 알았다. 나는 마법에 걸린 시선을 그의 얼굴에서, 이 핏기 없고 돌 같은 가면에서 떼지 못했다. 그리고 나는 느꼈다. 저게 데미안이었다! 나와 함께 걷고 이야기하던 여느 때의 그는 다만 반쪽짜리 데미안이었다. 이따금씩 한 역할을 연기하는, 순응하는, 내키면 함께하는 사람이었다. 그러나 진짜 데미안은 저런 모습이었다. 지금 이 사람 같은, 저렇게 냉담한, 태고처럼 늙은, 동물 같은, 돌 같은, 아름답고 찬, 죽었는데 남모르게 전대미문의 생명으로 가득 차 있는 모습이었다. 그리고 그의 주위를 둘러싼 이 고요한 공허, 이 정기(精氣)와 별들의 공간, 이 고독한 죽음!

지금 그가 완전히 자신 속으로 들어가 버렸음을 나는 전율하며 느꼈다. 나는 한 번도 저토록 고독해진 적이 없었다. 나는 그와 아무 관계도 없었다. 나에게 그는 도달할 수 없는 사람이었다. 나에게는 그가 세상에서 가장 먼 섬에 있는 것보다 더 멀리 있었다.

나 말고는 아무도 그 광경을 보지 못한 것을 거의 이해할
수 없었다! 모두가 보아야만 했다. 모두가 전율을 느껴야만 했
다. 그러나 아무도 그에게 주의하지 않았다. 그가 그림처럼, 우
상처럼 빳빳하게 앉아 있다고 생각할 수밖에 없었다. 파리 한
마리가 그의 이마에 내려앉아 천천히 코와 입술 위를 기어갔
다. 그는 주름살 하나 움칫하지 않았다.

어디에, 그는 지금 어디에 가 있단 말인가? 무엇을 생각하
는가, 무엇을 느끼는가? 그는 천국에 가 있는가, 지옥에 가 있
는가? 그것을 그에게 물어볼 수는 없었다. 수업 시간 끝에 그
가 다시 살아나 숨 쉬는 것을 보았을 때, 그의 시선이 나의 시
선과 맞닥뜨렸을 때 그는 전과 다름없었다. 그는 어디에서 왔
을까? 어디를 다녀왔을까? 그는 피곤해 보였다. 얼굴은 혈색
을 되찾았고, 두 손은 다시 움직였다. 그러나 갈색 머리카락은
광채가 없고 피곤해 보였다.

그다음 며칠 동안 나는 침실에서 몇 번인가 새로운 연습에
몸을 내맡겼다. 깎아지른 듯 몸을 곧추세우고 의자에 앉았다.
눈은 감지 않았다. 전혀 꼼짝하지 않고 기다렸다. 내가 얼마나
오래 그것을 견뎌 내고 그러면서 무엇을 느끼는지 보려고. 그
렇지만 나는 그저 피곤해지고 눈꺼풀에 심한 경련이 일었을
뿐이다.

그 뒤 곧 견진 성사가 있었는데 그것에 대해서는 중요한 기
억이 남아 있지 않다.

이제 모든 것이 달라졌다. 유년은 나의 주변에서 폐허가 되
었다. 부모님은 어느 정도 당황하며 나를 바라보았다. 누이들

은 아주 낯설어졌다. 각성이 나의 익숙한 느낌들과 기쁨들을 일그러뜨리고 퇴색시켰다. 정원은 향기가 없었고 숲은 마음을 끌지 못했다. 내 주위에서 세계는 낡은 물건들의 떨이판매처럼 서 있었다. 맥없고 매력 없이. 책들은 종이였고, 음악은 서걱임이었다. 그렇게 어느 가을 나무 주위로 낙엽이 떨어진다. 나무는 그것을 느끼지 못한다. 비, 태양 혹은 서리가 나무를 타고 흘러내린다. 그리고 나무 속에서는 생명이 천천히 가장 좁은 곳, 가장 내면으로 되들어간다. 나무가 죽는 것은 아니다. 기다리는 것이다.

방학이 지나면 다른 학교로 가기로, 처음으로 집을 떠나기로 결정되었다. 이따금씩 내게 어머니가 특별히 다정하게 대하면서, 미리 작별을 하며, 사랑, 향수 그리고 잊지 못할 것들을 내 마음속에 마력으로 심어 주려 애썼다. 데미안은 여행을 떠났다. 나는 혼자였다.

# 베아트리체

내 친구를 다시 만나지 못한 채, 방학이 끝날 무렵에 나는 장크트○○시로 갔다. 부모님이 함께 가 갖은 세심함을 있는 대로 기울여 나를 어느 김나지움 선생님 집인 소년 하숙집에 맡겼다. 그때 나를 어떤 일들 속으로 들어가게 해 놓았는지 알았더라면 부모님은 놀라서 몸이 굳었을 것이다.

시간이 가면서 내가 좋은 아들, 쓸모 있는 시민이 될 수 있을지, 아니면 나의 본성이 다른 길들로 밀려갈지는 여전히 의문이었다. 부모님의 그늘, 정신의 그늘 속에서 행복해지려 한 나의 마지막 시도는 오래 걸렸고, 가끔 성공하는 듯도 했지만 결국은 완전히 실패로 끝났다.

견진 성사를 마치고 나서 방학 동안에 내가 처음으로 느낀 묘한 공허와 고립감(후에 이런 감정을 어떻게 또 알게 되었던가, 이 공허, 이 엷은 공기를!)은 그렇게 빨리 지나가지 않았다. 고향과의 이별은 이상하도록 쉽게 이루어졌다. 더 슬프지 않아 사실은 부끄러웠다. 누이들은 이유 없이 울었다. 나는 울 수 없었다. 나 자신에게 놀랐다. 늘 감정이 풍부한 아이였는데, 바탕이 꽤 선한 아이였는데. 지금 나는 완전히 변해 버렸다. 바깥 세계에 대해서는 전혀 아무런 관심도 없이 행동했으며 여러 날을 자신의 내면에 귀 기울이고, 강물 소리를, 거기 내 마음속 지하에서 출렁이는, 금지된 어두운 강물 소리를 듣는 데만 열중했다. 지난 반년 동안에 나는 매우 빨리 자랐다. 그리하여 키가 훌쩍 크고, 마르고 미완성인 채 세계를 들여다보았다. 소년의 사랑스러움은 내게서 완전히 사라졌다. 사람들이 나를 별로 사랑할 수 없다는 것을 나 자신도 느꼈으며 스스로도 자신을 결코 사랑하지 않았다. 나는 막스 데미안에 대한 커다란 그리움을 자주 느꼈다. 그러나 어떤 때는 그를 미워하기도 했으며 몹쓸 병처럼 떠맡은 내 삶의 빈곤화를 그의 책임으로 돌리기도 했다.

하숙집에서 나는 처음에는 사랑받지도 주목받지도 못했다. 사람들은 처음에는 나를 놀리다가 그다음에는 나로부터 물러났으며 나에게서 음침하고 패기 없는 사람, 불쾌한 괴짜를 보았다. 그런 역할을 하는 자신이 마음에 들어 나는 그 역을 더 과장했으며, 고독 속에 칩거했다. 남몰래 자주 비애와 절망이라는, 사람을 좀먹는 발작에 짓눌렸는데도 그 고독은 바깥에서 보면 지극히 남자답게 세상을 경멸하는 것처럼 견고해 보였다. 학교에서는 새로 배우는 것 없이 집에서 쌓은 지식만 소모해 나갔다. 이 학급은 전에 다니던 곳에 비해 약간 진도가 뒤처져 있었고, 나는 내 또래들을 다소 경멸적으로, 어린아이들로 보는 습관을 길렀다.

한 해 남짓 그렇게 지나갔다. 방학이 되어 처음 집에 다녀갈 때도 새로울 것이 없었다. 기꺼이 다시 떠났다.

11월 초였다. 나는 날씨가 어떻든 짧은 산책을 하며 생각에 잠기는 습관을 들였다. 그런 산책길에 자주 희열 같은 것을 맛보았다. 우수와 세상에 대한 경멸과 자신에 대한 경멸로 가득한 희열이었다. 그렇게 나는 어느 저녁 축축하고 안개 낀 어스름에 도시 주변을 어슬렁어슬렁 거닐었다. 시립 공원의 넓은 가로수 길이 완전히 버려진 채 나를 부르는 듯했다. 길에는 낙엽이 두껍게 쌓여 있었고, 나는 어두운 쾌락을 느끼며 낙엽들을 발로 헤집었다. 축축하고 쌉쌀한 냄새가 났다. 멀리 있는 나무들이 안개를 뚫고 유령처럼 커다랗고 희미하게 불쑥불쑥 나타났다.

가로수 길 끝에서 나는 어정쩡하게 멈추어 서 검은 이파리 속을 응시하며 그 축축한 부패와 사멸의 향기를 탐닉하며 들이마셨다. 나의 내면에서 무언가가 응답하며 그 향기를 반겼다. 오, 삶의 맛은 얼마나 밍밍했던지!

곁길에서 어떤 사람이 다가왔다. 그의 외투가 바람에 나부꼈다. 나는 가던 길을 그대로 가려고 했다. 그때 그가 나를 불렀다.

"어이, 싱클레어!"

그가 따라왔다. 우리 하숙집에서 제일 나이가 많은 학생 알폰스 베크였다. 나는 그를 보면 좋았고, 그에게 아무런 반감도 없었다. 그가 다른 모든 후배한테나 나한테나 늘 비꼬는 듯한 말투를 쓰고 아저씨처럼 군다는 것 말고는. 그는 곰처럼 힘이 세다고 알려져 있었다. 우리 하숙집 주인도 꼼짝 못 하게 제 손안에 넣었다는 것이었다. 그는 김나지움 학생들 사이에 떠도는 많은 소문의 주인공이었다.

"여기서 대체 무얼 하지?" 더 큰 사람들이 이따금씩 자기보다 어린 애들 중 하나에게 다가올 때의 어투로 그가 붙임성 있게 물었다. "자아, 어디 내기해 볼까, 너 시를 지었지?"

"그런 생각 안 했는데." 내가 무뚝뚝하게 잘랐다.

그는 웃음을 터뜨리더니 내 곁에서 걸으며 이야기를 늘어놓았다. 내게 전혀 익숙지 않은 방식으로.

"두려워할 필요 없어, 싱클레어, 내가 이해하지 못할까 하고 말이야. 사람이 이렇게 안개 속을 걷는다면, 이렇게 가을 생각에 잠겨서 말이야, 그럼 뭔가가 있는 거야. 그럴 때는 시를 즐겨 짓지. 난 벌써 알아. 물론 죽어 가는 자연에 대해 그리고 자연과 닮은 잃어버린 청춘에 대해 시를 짓지. 하인리히 하이네를 봐."

"난 그렇게 감상적이지 않아." 내가 방어적으로 말했다.

"그럼 좋도록 해! 그렇지만 이런 날씨에는, 내 생각에 말이야, 술 한잔 아니면 그 비슷한 것이 있는 조용한 장소를 찾는 게 낫겠어. 같이 가지 않겠어? 나는 지금 아주아주 외롭거든. 싫은 거야? 네가 굳이 모범생이고자 한다면 이봐, 너를 유혹할 마음은 없어."

그 뒤 곧 우리는 어느 조그만 교외 술집에 앉아 품질이 수상한 포도주를 마시며 두꺼운 유리잔을 부딪쳤다. 처음에는 별로 마음에 들지 않았지만 어쨌든 그것은 무언가 새로운 것이기는 했다. 나는 술에 익숙지 않았던 터라 곧 몹시 말이 많아졌다. 내 속에서 창문 하나가 활짝 열린 듯했다. 세계가 들어오는 것 같았다. 얼마나 오래, 얼마나 끔찍하게 오래 나는 영혼에 관해 아무 말도 하지 못했던가! 나는 상상의 날개를 펴기 시작했고, 그 한가운데서 카인과 아벨의 이야기를 화젯거리로 내놓았다.

베크는 즐겁게 내 말에 귀 기울였다. 마침내 누군가가 내 말에 귀 기울이고, 그에게 내가 무언가를 주었던 것이다! 그가 내 어깨를 두드렸다. 나를 굉장한 녀석이라고 불렀다. 그리고 나는 이야기하고 싶고 뭔가를 전하고 싶은 고이고 고인 욕구를 실컷 쏟아 내는 기쁨에, 인정받는다는 기쁨에, 연장자에게 다소 인정받는다는 기쁨에 가슴이 부풀어 올랐다. 그가 나를 천재적인 멋들어진 녀석이라고 불렀을 때는 그 말이 감미로운 독주처럼 영혼 속으로 번졌다. 세계가 새로운 색깔로 불탔다. 생각들이 수백 개의 철철 솟는 샘에서 나와 흘러갔다. 속에서 정기(精氣)와 주정(酒精)의 뜨거움이 활활 타올랐다. 우리는 선생님들이며 친구들에 대해 이야기했는데, 서로 근사하게 통하는 것 같았다. 우리는 그리스에 대해서 그리고 이교(異教)에 대해 이야기했고, 베크는 나더러 사랑의 모험에 대해 무조건 털어놓으라고 했다. 그런데 그 점에서는 내가 함께 이야기할 것이 없었다. 경험한 것이 전혀 없었다. 이야기를 들려줄 경험이 아무것도 없었다. 그리고 내가 마음속에서 느끼고,

구성하고, 상상의 날개를 편 것, 그것은 불타듯 내 속에 들어앉아 있었다. 술로도 풀리지 않았으며 전달할 수 없었다. 여자에 대해서 베크는 훨씬 더 아는 게 많았다. 그리고 나는 열이 올라 그런 동화 같은 이야기들에 귀 기울였다. 나는 그곳에서 믿을 수 없는 것을 들었다. 결코 가능하다고 여기지 않았던 것이 밋밋한 현실 속으로 들어왔고 자명해 보였다. 알폰스 베크는 아마 열여덟 살일 텐데 벌써 경험이 많았다. 그 가운데는 소녀들과의 일이 이러저러하다는 것도 있었다. 소녀들은 자기들에게 아첨하고 예절 바르게 구는 것만 바라는데 그것이 실로 근사하기는 해도 진짜는 아니라는 것이었다. 그래서 더 큰 성공은 나이 든 부인들에게서 기대할 수 있다는 것이었다. 예를 들면 문구점을 하는 야겔트 부인, 그 부인하고는 이야기가 통하는 것 같으며 그 가게 계산대 뒤에서 벌써 무슨 일들이 있었는지는 책에서도 볼 수 없다는 것이었다.

나는 완전히 매료되어 멍하니 앉아 있었다. 아무튼 나라면 야겔트 부인을 곧바로 사랑할 수는 없었으리라. 하지만 어쨌든 그것은 들어 본 적 없는 이야기였다. 그곳에는 내가 꿈꾸어 본 적도 없는 원천이, 적어도 좀 더 나이 든 사람들에게는 있는 것 같았다. 어딘가 틀린 대목이 있기는 했다. 그리고 그 모든 것의 맛은 내가 생각한 사랑의 맛보다는 보잘것없고 일상적이었다. 그러나 어쨌든 그것은 현실이었다. 삶이고 모험이었다. 그것을 이미 경험했고, 그것을 당연한 일로 보는 사람이 내 곁에 앉아 있었다.

우리의 대화는 약간 수준 낮은 것이었고, 무언가가 빠져 있었다. 나는 이제 더 이상 천재적인 작은 사나이가 아니었다. 아직 그저 어른의 말에 귀 기울이고 있는 소년일 뿐이었다. 그러나 그것은 몇 달 동안의 내 삶보다는 근사하고 낙원 같았다. 그 밖에도 술집에 앉아 있는 것부터 우리가 이야기하고 있는 것까지 그 모든 것이 내가 비로소 서서히 느끼기 시작한 대로 금지된 것이었다. 엄격하게 금지된 것이었다. 아무튼 나는 그 가운데서 뜨거운 감정을 맛보고 혁명적 파격을 맛보았다.

그날 저녁을 지금도 똑똑하게 기억한다. 우리 둘이 느지막이 흐릿하게 타고 있는 가스등을 지나 서늘하고 축축한 어둠 속에서 집으로 가는 길에 접어들었을 때 나는 처음으로 취해 있었다. 근사하지는 않았다. 극도로 고통스러웠다. 그렇지만 그것에는 또한 무언가가 있었다. 하나의 매력, 감미로움이 있었다. 그것은 반란이며 비의였다. 삶이며 정신이었다. 나보고 머리 꼭대기에 피도 안 마른 초보라고 호되게 욕하면서도 베크는 나를 용감하게 떠맡았다. 나를 절반은 떠메고 집으로 데려갔다. 집에 가서는 열린 복도 창문으로 나를 살짝 집어넣고 자기도 그렇게 숨어 들어왔다.

잠깐 죽은 듯 잠을 잔 후 나는 고통스럽게 깨어났다. 술이 깨자 멍한 고통이 나를 엄습했다. 나는 침대에 앉아 있었다. 낮에 입었던 셔츠를 아직도 입고 있고, 내 옷가지며 신발은 바닥에 널려 있고 담배 냄새와 토사물 냄새가 났다. 두통과 메스꺼움과 심한 갈증 사이에서 내가 오래 직시하지 않던 영상 하나가 떠올랐다. 고향과 부모님 집, 아버지, 어머니, 누이들과 정원이 보였다. 조용하고 아늑한 내 침실이 보였다. 학교와 시장 광장이 보였다. 데미안과 견진 교리 수업 시간들이 보였다. 그리고 그 모든 것은 환했다. 모든 것이 흐르는 광채로 에워싸여 있었다. 모든 것이 놀라웠다. 신성하고 깨끗했다. 그리고 모든 것, 모든 것이 어제만 해도, 몇 시간 전만 해도 나의 것이었고, 나를 기다렸는데 지금은, 지금 이 시각에는 타락하고 저주받았다는 것을 알게 되었다. 더 이상 내 것이 아니었다. 나를 밀쳐내고 있었다. 구역질을 하며 나를 주시하고 있었다! 가장 먼 유년의 황금빛 정원들까지 되돌아가 부모님 품에서 경험한 모든 사랑스럽고 친근한 것, 어머니의 입맞춤 하나하나, 성탄절 하나하나, 집에서의 경건하고 환한 일요일 아침 하나하나, 정원의 꽃 하나하나, 이 모든 것이 황폐화되었다. 모든 것을 나 자신의 두 발로 짓밟아 버렸던 것이다! 그때 추적자가 와서 나를 묶고는 인간 폐물이며 신전 모독자라고 교수대로 데려갔다면 나는 동의하고 기꺼이 따라갔으리라. 그렇게 하는 것이 바르고 합당한 처사라고 느꼈을 것이다.

그러니까 내 내면의 모습이 그랬던 것이다! 빙빙 돌며 세상을 경멸하던 나! 정신에 있어서 자부심이 충만하고 데미안과 생각을 공유했던 나! 나의 모습이 그랬다, 취하고 더러워지고 구역질 나고 비열한 인간 폐물이자 잡놈, 야비한 충동의 기습을 받은 살벌한 야수였다! 모든 것이 정결함, 광채 그리고 우아한 사랑스러움인 저 정원에서 온 내가, 바흐의 음악과 아름다운 시를 사랑하던 내가! 아직도 속이 메스껍고 격분한 내 귀에 자제력 없이 멍청하게 헉헉 터뜨려 대는 취한 웃음소리가 들렸다. 그것은 나였다!

그러나 그 모든 것에도 불구하고 이 고통들을 겪으며 상당한 쾌감을 느꼈다. 그토록 오래 내가 맹목적이고 둔감하게 웅크리고 있었기에, 그토록 오래 내 마음은 침묵하고 가난해져 구석에 앉아 있었기에 이러한 자기 고발, 이 전율, 이 모든 영혼의 불쾌한 감정도 환영받았다. 감정이 있었다! 불꽃이 솟았다. 그 속에서 심장이 경련했다! 나는 비참의 한가운데서 해방이자 봄 같은 무엇을 혼란스럽게 느꼈다.

　밖에서 보면 그동안 나는 착실히 내리막길을 걷고 있었다. 처음으로 취한 것이 곧 처음으로 끝나지 않았다. 우리 학교 학생들은 술집 출입이 잦았고 행패를 부리기도 했다. 그런데 가담하는 학생들 가운데 나는 제일 어린 축에 들었다. 그러나 나는 더 이상 '끼워 주는' 어린애가 아니라 주모자요, 스타였다. 유명한, 대담무쌍한 술집 출입객이었다. 나는 다시 어두운 세계, 악마 소속이었고, 그 세계에서 명사(名士)였다.

　그러면서도 기분은 참담했다. 나는 자신을 파괴하는 방탕 속에서 살아갔다. 학교에서는 지도자이자 굉장한 녀석으로, 대단히 과단성 있고 재치 있는 녀석으로 인정받은 반면 내 마음속 깊은 곳에서는 두려움으로 가득한 영혼이 불안으로 퍼덕이고 있었다. 어느 일요일 오전에 어느 술집을 나서다 길거리에서 아이들이 노는 모습을 보고서 눈물 흘린 일을 지금도 기억한다. 환하고 즐겁게, 갓 빗질한 머리에 일요일 정장을 차려입고. 그리고 보잘것없는 술집의 더러운 테이블, 맥주가 쏟아져 고인 곳에서 내가 전대미문의 냉소주의로 내 친구들을 놀리고 놀라게 하는 동안에도, 실제로 나는 내가 냉소하는 모든 것에 경외심을 가지고 있었으며 마음속으로 울며 내 영혼 앞에서, 내 과거 앞에서, 어머니 앞에서, 신 앞에서 무릎을 꿇은 채 엎드려 있었던 것이다.

내가 한 번도 내 동행자들과 하나가 되지 않았던 데에는, 그들 가운데서 늘 외로웠고 그래서 그렇게까지 괴로웠던 데에는 그럴 만한 이유가 있었다. 나는 술집의 영웅이었지만 아주 거친 것은 심정적으로 경멸했다. 나는 총기가 있었고 선생님들, 학교, 부모, 교회에 대한 생각을 이야기할 때는 패기를 과시했다. 직접 하지는 못했지만 음담패설도 태연히 들었다. 그러나 내 패거리가 여자들한테 갈 때 함께 간 적은 없었다. 나는 혼자였고 사랑에 대한 타는 그리움으로, 절망적 그리움으로 가득 차 있었다. 내가 하는 말을 누가 들으면 나를 분명 후 안무치한 향락자로 여겼을 텐데, 누구도 나만큼 쉽게 상처받지 않았고 누구도 나만큼 부끄러워하지 않았다. 이런저런 때 양가(良家)의 소녀들이 귀엽고 깨끗하게, 환하고 우아하게 내 앞에서 걸어가는 것을 보아도 그들은 나에게 놀랍고 깨끗한 꿈이었다. 나보다 천배는 더 선하고 너무 깨끗했다. 한동안 나는 야겔트 부인의 문구점에도 갈 수 없었다. 그 여자를 보고, 알폰스 베크가 그 여자에 대해 들려준 이야기를 생각하면 얼굴이 빨개졌기 때문이다.

이제 새로운 친구들 가운데서도 끊임없이 외롭고 남과 다르다는 것을 알면 알수록 나는 더욱 그들에게서 벗어나지 못했다. 술 퍼마시고 허풍 치는 것이 그때 나에게 즐거운 일이기나 했는지 그것도 이제는 정말 모르겠다. 마시는 일에도 결코,

번번이 고통스러운 결과를 느끼지 않을 정도로는 익숙해지지 않았다. 모든 것이 일종의 강압 같았다. 나는 내가 해야만 하는 것을 했다. 달리 나 자신을 어떻게 해야 할지 전혀 몰랐기 때문이다. 오래 혼자 있기가 두려웠다. 늘 내 마음이 기울었다고 느끼는, 그 많은 부드럽고 부끄럽고 은밀한 감정의 내습이 두려웠다. 그토록 자주 엄습하는 부드러운 사랑에 대한 생각이 두려웠다.

내게 가장 결핍된 한 가지, 그것은 친구였다. 내가 바라보기를 아주 좋아하는 두셋의 친구가 있기는 했다. 그러나 그들은 착한 사람들에 속했고, 나의 악덕은 오래전부터 이미 누구에게도 비밀이 아니었다. 그들은 나를 피했다. 모든 학우들에게 나는 두 발 밑의 땅이 흔들리는, 희망 없이 노는 학생으로 간주되었다. 선생님들은 나에 대해 잘 알았다. 나는 몇 차례 엄하게 벌을 받았고, 최종적으로 학교에서 쫓겨나는 일만 남았는데 내 쪽에서도 그 일을 기다렸다. 나 자신도 알았다. 나는 벌써 오래전부터 더 이상 좋은 학생이 아니었다. 퇴학당하기까지 그리 오래 걸리지 않으리라는 느낌으로 근근이 건들건들 헤쳐 가고 있었다.

신이 우리를 외롭게 만들어 우리 자신에게로 인도할 수 있는 길은 많다. 그런 길을 그때 신이 나와 함께 갔던 것이다. 악몽과도 같았다. 더러움과 끈적거림 너머로, 깨진 맥주잔과 독설로 지새운 밤 너머로 내 모습이 보였다. 내가, 주문에 걸린 몽상가가, 추하고 더러운 길을 쉬지 않고 고통당하며 기어가는 모습이. 공주님을 찾아가는 길인데, 오물 웅덩이에, 악취와 쓰레기 가득한 뒷골목에 박혀 있는 꿈들이었다. 내 형편이 그랬다. 이렇게 그다지 세련되지 못한 방식으로 나는 외로워지도록, 무정하게 환히 웃는 문지기들이 지키고 있는 잠긴 낙원의 문 하나를 나와 유년 사이에 세우도록 정해져 있었다. 그것은 시작이고 나 자신에 대한 향수에의 눈뜸이었다.

아버지가 하숙집 주인의 편지로 경고를 받아 장크트○○시에 처음 나타나 느닷없이 나를 마주했을 때만 해도 나는 놀라고 움칫했다. 그 겨울 끝 무렵 아버지가 두 번째로 왔을 때 나는 벌써 냉혹하고 무관심했다. 아버지가 욕을 하다가 애원을 하다가 어머니를 상기시켰을 때에도 모르는 척했다. 아버지는 마지막에는 몹시 격분하여 내가 달리 안 된다면 수모와 창피를 무릅쓰고 학교에서 나를 끌고 나와 감화원에 처넣겠다고 했다. 그러시라지! 그때 아버지가 떠나자 마음이 좋지 않았다. 아버지는 아무것도 이루지 못했다. 나에게로 오는 어떤 길도 찾아내지 못했다. 그리고 어떤 때 나는 일이 그렇게 된 것이 당연하다고 느끼기도 했다.

내가 무엇이 되건 나로서는 아무래도 좋았다. 특별하고 별로 곱지 못한 방식으로 술집에 앉아 의기양양하게 굴면서 나는 세상과 싸움을 벌이고 있었다. 그것은 나 나름의 저항의 방식이었다. 그러면서 나 자신을 망가뜨렸고, 이따금씩은 내 일을 대략 이렇게 보았다. 세상이 나 같은 사람을 필요로 하지 않는다면, 나 같은 사람들에게 줄 좀 더 나은 자리, 좀 더 높은 과제를 갖고 있지 않다면 이제 나 같은 사람들은 이렇게 망가지는 것이라고. 그래 봐야 세상 손해지, 뭐.

그해의 성탄절 휴가는 즐겁지 않았다. 나를 다시 보았을 때 어머니는 놀랐다. 더 키가 컸고, 살은 늘어지고 눈 가장자리에 염증이 난 내 마른 얼굴은 잿빛에 황폐해 보였다. 막 돋기 시작한 콧수염과 얼마 전부터 쓴 안경이 나를 그들에게 더욱 낯설어 보이게 만들었다. 누이들은 뒤로 물러나 킬킬거렸다. 모든 것이 유쾌하지 않았다. 서재에서 나눈 아버지와의 대화가 씁쓸했으며 유쾌하지 않았다. 몇몇 친척들의 반가워하는 인사도 유쾌하지 않았다. 무엇보다 성탄절 저녁이 유쾌하지 않았다. 성탄절이란 내가 태어난 이래 우리 집에서 가장 성대한 날이었다. 잔치 분위기, 사랑과 감사의 저녁, 부모님과 나의 유대를 새롭게 하는 저녁이었다. 이번에는 모든 것이 다만 마음을 짓누르고 당황하게 만들 뿐이었다. 여느 때처럼 아버지는 벌판의 양치기에 관한 복음서를 읽었다. "그들은 바로 그곳에서 양 떼를 지켰다." 여느 때처럼 누이들은 환히 웃으면서 그들의 선물이 놓인 탁자 앞에 서 있었다. 그러나 아버지의 음성은 즐겁지 않았고, 얼굴은 늙고 짓눌려 보였으며, 어머니는 슬퍼했다. 그리고 나에게는 모든 것, 선물과 덕담, 복음서와 크리스마스트리 그 모두가 거북하고 원하지 않은 것이었다. 후추와 꿀이 든 랩케이크에서는 달콤한 냄새가 났고, 그보다 더 감미로운 추억의 뭉게구름이 콸콸 흘러나왔다. 전나무는 향기를 풍기며 이제는 존재하지 않는 것들에 대해 이야기했다. 나는 그 저녁과 휴일의 나날이 어서 끝나기만 바랐다.

온 겨울이 그렇게 갔다. 바로 얼마 전에 나는 교무회로부터 심각한 경고를 받았다. 퇴학의 위험이 임박해 있었다. 오래 걸리지는 않을 터였다. 그럼 좋으실 대로, 나야 별로 이의가 없었다.

막스 데미안에게는 특별한 유감이 있었다. 그를 그동안 한 번도 보지 못했다. 나는 그에게 장크트○○시에서의 학창 시절 초기에 두 번 편지를 썼지만 답장을 받지 못했다. 그래서 방학 때도 찾아가지 않았다.

가을에 알폰스 베크와 만났던 공원에서 초봄에 있었던 일이다. 어떤 소녀가 내 눈에 띈 것은 가시나무 울타리가 막 초록이 되기 시작할 때였다. 꺼림칙한 생각과 근심으로 가득한 채 나는 혼자 산책하고 있었다. 건강이 나빠진 데다 지속적으로 돈에 쪼들렸기 때문이다. 학우에게 빚을 졌는데, 집으로부터 또 조금 받아 내자면 필요 불가결한 지출을 꾸며 내야만 한 데다 몇몇 가게에 담배나 그 비슷한 물건들의 외상도 불어 가고 있었다. 이 근심이 몹시 심각해지지야 않았지만. 머지않아 이곳에 있는 것도 끝이 나고 내가 물속으로 들어가든지 감화원으로 보내지면 이 몇 가지 소소한 일들도 결코 문제 되지 않았을 테니 말이다. 그러나 나는 내내 그런 아름답지 못한 일들과 똑바로 대면하고 살면서 그것들에 시달렸다.

그 봄날 공원에서 나의 시선을 강하게 끄는 소녀를 만났다. 그녀는 키가 크고 날씬했으며, 옷차림이 멋지고, 영리한 소년의 얼굴이었다. 나는 첫눈에 곧바로 그녀가 마음에 들었다. 그녀는 내가 좋아하는 유형으로, 나의 상상력을 바쁘게 했다. 그리고 나보다 별로 나이가 더 들어 보이지 않았지만, 훨씬 성숙하고 고상하고 윤곽이 뚜렷하고, 벌써 숙녀가 다 된 터였다. 그러면서도 내가 지독하게 좋아하던 오만과 소년다움의 흔적이 얼굴에 있었다.

나는 그때까지 마음을 빼앗긴 여성에게 성공적으로 접근한 적이 없었는데, 이 소녀도 마찬가지였다. 그러나 그 인상은 이전의 모든 여성들보다 더 깊었고, 이번에 빠진 사랑이 나의 삶에 미친 영향은 강력했다.

갑자기 다시 하나의 영상이, 존경할 만하고 드높은 영상이 내 앞에 서 있었다. 아, 그런데 나의 내면에서는 그 어떤 욕구도, 그 어떤 충동도 외경과 숭배만큼 깊고 격렬하지 않았다! 나는 그녀에게 베아트리체라는 이름을 주었다. 단테는 읽지 않았지만 베아트리체에 대해서는 알았다. 어느 영국 그림에서 봤는데, 그 복제품을 내가 간직하고 있었다. 그 그림은 영국 라파엘 전파의 소녀상으로, 팔다리가 몹시 길고 날씬하며 얼굴도 작고 길었으며 두 손과 표정은 영혼이 깃든 분위기로 표현되어 있었다. 내가 사랑한 날씬한 자태와 소년다움을 보여 주고 영혼이 깃든 분위기를 얼굴에 조금 띠고 있었음에도 나의 아름다운 젊은 소녀는 그 소녀상과 똑같지는 않았다.

베아트리체와 단 한마디도 말을 나눈 적은 없다. 그럼에도 그녀는 당시 나에게 지극히 깊은 영향을 주었다. 자신의 영상을 내 앞에 내세워 보여 준 것이다. 나에게 성소(聖所)를 열어 주었다. 나를 사원 안의 기도자로 만들었다. 그날로 나는 술집 출입과 밤에 나돌아 다니는 일로부터 멀어졌다. 나는 다시 혼자 있을 수 있었다. 다시 책을 즐겨 읽고 즐겨 산책했다.

나의 갑작스러운 변화는 충분한 조소를 받았다. 그러나 이 제 나는 무언가를 사랑하고 숭배해야 했다. 다시 하나의 이상 (理想)을 가졌던 것이다. 삶은 다시 예감과 비밀에 찬 영롱한 여명이었다. 그 점이 나를 조소에 무관심하게 만들었다. 나는 다시 나 자신에게로 편안히 안착했다. 비록 오로지 존경하는 영상의 노예이자 봉사자가 되어서였지만.

　얼마만큼의 감동 없이는 그 시절을 회상할 수 없다. 나는 부서진 삶의 한 시기의 폐허들로부터 자신을 위해 하나의 '환 한 세계'를 지으려 더없이 열렬하게 다시 노력했다. 다시 나는 내 속의 어둠과 악을 떨치고 완전히 빛 속에, 신들 앞에 무릎 꿇고 그대로 머물려는 단 하나의 욕구 속에서 살았다. 하여튼 지금의 이 '환한 세계'는 어느 정도 나 자신이 창조한 것이었 다. 어머니에게로 그리고 책임 없는 아늑함 속으로 다시 도망 쳐 가고 기어드는 것이 아니었다. 나 자신이 창안하고 요구한 새로운 예배, 책임과 자기 기율이 있는 예배였다. 내가 시달렸 으며 자꾸만 도피했던 성 문제는 이제 이 성스러운 불 속에서 정신과 기도로 승화되었다. 캄캄한 것은 아무것도 있어서는 안 되었다. 어떤 추한 것도 있어서는 안 되었다. 신음하며 지새 운 밤들도, 방종한 영상들 앞에서 뛰던 심장의 고동도, 금지된 문 앞에서의 도취도, 육욕도. 나는 그 모든 것 대신 베아트리 체의 영상으로 나의 제단을 세웠다. 그리고 나 자신을 그녀에 게 바침으로써 나 자신을 정신과 신들에게 봉헌했다. 내가 어 두운 힘들에서 뺏어 낸 삶의 몫을 나는 환한 힘들에게 제물 로 바쳤다. 나의 목표는 쾌락이 아니라 정결함이었다. 행복이 아니라 아름다움과 정신성이었다.

이 베아트리체 예배가 나의 삶을 송두리째 바꾸어 놓았다. 어제만 해도 조숙한 냉소주의자였던 내가 지금은 성인(聖人)이 되겠다는 목표를 지닌 사원의 하인이었다. 나는 익숙했던 평범한 삶을 떨쳤을 뿐만 아니라 모든 것을 바꾸려고 했다. 모든 것에 정결함, 고귀함, 품위를 부여하려 했다. 먹고 마시면서도, 말을 하고 옷을 차려입으면서도 나는 그 생각을 했다. 냉수욕으로 아침을 시작했다. 처음에는 심하게 자신을 다스려야 했다. 진지하고 품위 있게 처신했으며, 몸을 꼿꼿이 했고, 걸음걸이를 좀 더 느리고 품위 있게 했다. 구경꾼에게는 우스꽝스럽게 보였을지도 모른다. 나의 내면에서 그것은 모두 예배였다.

이 모든 새로운 연습들 중 하나가 내게 중요해졌다. 그것에서 나의 새로운 신념을 위한 표현을 찾아냈다. 나는 그림을 그리기 시작했다. 내가 가지고 있던 영국 베아트리체상이 그 소녀와 충분히 닮지 않았다는 데서 시작된 일이었다. 나는 나 자신을 위해 그녀를 그리고 싶었다. 아주 새로운 기쁨과 희망을 가지고 나는 얼마 전부터 갖게 된 내 방에 아름다운 종이, 물감과 붓을 모아 들였고, 팔레트, 유리잔, 도자기 접시, 연필을 가지런히 놓았다. 그중에는 산화 크로뮴 그린이 있었다. 그 불타는 초록 물감이 하얀 작은 접시에서 처음으로 빛을 발하던 모습이 아직도 눈에 선하다.

나는 조심스럽게 시작했다. 얼굴을 그리기가 어려워 우선 다른 것으로 시험해 보았다. 장식품, 꽃 그리고 작은 상상의 풍경, 예배당 옆에 있는 나무 한 그루, 사이프러스 나무들이 있는 로마의 다리를 그렸다. 때로는 이 장난 짓에 완전히 정신없이 빠져들어 크레파스를 선물받은 어린아이처럼 행복해했다. 마침내 나는 베아트리체를 그리기 시작했다.

나뭇잎 몇 개는 완전히 실패하여 버렸다. 때때로 거리에서 마주친 그 소녀의 얼굴을 떠올려 보려 할수록 더 잘되지 않았다. 마침내 나는 소녀를 그리는 것을 포기하고 그냥 얼굴 하나를 그리기 시작했다. 환상에 따라 시작만 해 놓고는 붓 가는 대로, 물감과 붓에서 저절로 나오는 선에 따라 그렸다. 그렇게 나온 것은 내가 꿈꾸던 얼굴이었다. 별로 불만족스럽지 않았다. 그렇지만 나는 즉시 계속 시도했다. 새로운 종이 한 장 한 장이 그 무언가를 더 분명하게 말했다. 비록 결코 실물에 가깝지는 않아도 그 유형에는 가까워져 갔다.

나는 점점 더 몽환적인 붓놀림으로 대상이 없는, 장난 같은 더듬음에서, 무의식에서 나오는 선을 긋고 면을 채우는 데 익숙해져 갔다. 마침내 어느 날 거의 무의식적으로 얼굴 하나를 완성했는데, 전에 그린 것들보다 더 강하게 나에게 말을 던져 왔다. 그것은 그 소녀의 얼굴이 아니었고, 결코 그럴 수도 없었다. 무언가 다른 것, 무언가 비현실적인 모습이었다. 그렇지만 그렇다고 가치가 덜하지 않았다. 그것은 소녀의 얼굴이기보다는 오히려 청년의 머리처럼 보였다. 머리카락은 나의 예쁜 소녀처럼 환한 금색이 아니고 불그스름한 기운이 도는 갈색이었고, 턱은 강하고 윤곽이 뚜렷했으며, 입은 붉게 꽃피어 있었다. 그 모든 것이 다소 뻣뻣하고 가면 같았지만, 인상적이고 신비스러운 생명으로 가득했다.

완성된 그림 앞에 앉아 있자니 기이한 인상을 받았다. 그것은 내게 일종의 신상(神像) 혹은 성인의 가면처럼 보였다. 절반은 남자이고 절반은 여자이며, 나이가 없고, 의지가 굳세면서도 몽상적이며, 굳어 있으면서도 남모르게 생명력 있어 보였다. 이 얼굴은 나에게 무언가 할 말이 있는 듯했다. 그것은 나의 일부였다. 나에게 요구를 내세웠다. 그리고 누군지는 모르겠지만 그 누군가와 비슷했다.

그때부터 그 초상이 한동안 나의 모든 생각을 따라다니며 나의 삶을 함께했다. 나는 그것을 서랍에 감추어 두었다. 아무도 그것을 훔쳐보고 그것 가지고 나를 비웃게 해서는 안 되었던 것이다. 그러나 혼자 내 작은 방 안에 있을 때면 나는 곧바로 그 그림을 꺼내어 들여다보곤 했다. 저녁에는 침대에서 마주 보이는 벽지 위쪽에 핀으로 붙여 놓고 잠들 때까지 바라보았으며 아침이면 나의 첫 눈길이 그곳으로 갔다.

바로 그 시절에 나는 어린아이 때 늘 그랬듯이 다시 꿈을 많이 꾸기 시작했다. 여러 해 동안 꿈을 꾸지 않았던 것 같다. 이제 꿈이 다시 나타났다. 전혀 새로운 종류의 영상들 그리고 매우 자주 그 초상이 꿈속에서 떠올랐다. 살아서 이야기하며, 친절하거나 적대적으로, 어떤 때는 얼굴을 찡그렸고 어떤 때는 무한히 아름답고 조화롭고 고귀했다.

그리고 어느 아침 그런 꿈들을 꾸다 깨어났을 때, 나는 갑자기 그 그림의 실체를 알아보았다. 그 그림은 참으로 기막히도록 친숙하게 나를 바라보고 있었다. 내 이름을 부르는 것 같았다. 나를 잘 아는 것 같았다. 어머니처럼 아득한 시절부터 내내 나를 향해 있었던 것 같았다. 가슴이 뛰는 것을 느끼며 나는 그림을 응시했다. 숱 많은 갈색 머리카락을, 절반쯤 여자의 것인 입술을, 특별하게 밝은(저절로 그렇게 말랐다.) 뚜렷한 이마를, 그리고 점점 더 분명하게 인식을, 재발견을, 앎을 느꼈다.

나는 자리에서 벌떡 일어났다. 그 얼굴 앞에 서서 아주 가까이에서 그것을 바라보았다. 크게 뜬, 초록빛 도는 굳은 두 눈을 들여다보았다. 오른쪽 눈이 다른 쪽보다 약간 더 높이 있었다. 그런데 문득 그 오른쪽 눈이 찡긋했다. 가볍고 섬세하게, 그러나 분명하게 찡긋했다. 그리고 이 찡긋거림 덕에 나는 그림을 알아보았다.

어떻게 내가 그것을 그렇게 늦게야 비로소 찾아낼 수 있었단 말인가! 그것은 데미안의 얼굴이었다.

후에 나는 이 그림을 내 기억 속에서 찾아낸 데미안의 진짜 표정과 자주 비교했다. 비슷하기는 해도 전혀 똑같지는 않았다. 하지만 그래도 데미안이었다.

언젠가 초여름 저녁 햇빛이 비스듬하고 붉게 서향인 내 창으로 비쳐 들었다. 방 안이 어스름해졌다. 그때 베아트리체 혹은 데미안의 초상을 창문 가운데 교차하는 창살에 핀으로 꽂아 놓고 석양이 그것으로 비쳐 들면 어떤지 봐야겠다는 생각이 들었다. 얼굴은 윤곽이 흐릿해졌지만, 불그스름하게 테 둘린 눈, 환한 이마와 진홍의 입이 종이 면으로부터 튀어나와 속속들이 야성적으로 작열했다. 나는 빛이 사라지고 나서도 오랫동안 그것을 마주 보고 앉아 있었다. 그런데 차츰차츰 그것이 베아트리체도 데미안도 아니며 나라는 느낌이 왔다. 그 그림은 나를 닮지 않았으며 그럴 리도 없다고 느꼈다. 그러나 그것은 나의 삶을 결정하는 것이었다. 그것은 나의 내면, 나의 운명 혹은 내 속에 내재하는 수호신이었다. 만약 내가 언젠가 다시 친구를 찾아낸다면 내 친구의 모습이 저러리라. 언제 애인을 얻게 된다면 내 애인의 모습이 저러리라. 나의 삶이 저럴 것이며 나의 죽음이 저럴 것이다. 이것은 내 운명의 울림이자 리듬이었다.

그 몇 주 동안 나는 책을 한 권 읽기 시작했는데, 전에 읽은 모든 것보다 더 깊은 인상을 받았다. 나중에도 책을 그렇게 경험한 일은 드물었다. 어쩌면 니체나 그랬을지. 그것은 노발리스의 책으로, 편지와 잠언 들이 들어 있었는데, 그중 많은 것을 이해하지 못했는데도 모든 것이 말할 수 없이 나를 매혹하고 긴장시켰다. 잠언 하나가 아직도 생각난다. 그 잠언을 펜으로 초상화 밑에 적어 놓았다. "운명과 심성은 하나의 개념에 붙여진 두 개의 이름이다." 그 말을 그때 이해했다.

베아트리체라고 부른 소녀는 여전히 자주 마주쳤다. 이제는 아무런 동요를 느끼지 않았다. 그러나 늘 한 가닥 부드러운 일치감, 한 가닥 감정 넘치는 예감을 느꼈다. 넌 나와 연결돼 있어. 그러나 너 말고 네 영상만 말이야. 넌 내 운명의 일부거든.

막스 데미안에 대한 그리움이 다시 거세졌다. 나는 그에 대해서 아무것도 몰랐다. 몇 해째 아무것도 모르고 지냈다. 딱한 번 방학 때 그를 맞닥뜨렸다. 이 짧은 만남을 내 기록에서 일부러 빠뜨렸다는 것을 지금 알겠다. 그것이 부끄러움과 허영심에서 일어난 일이었다는 것도 알겠다. 만회해야겠다.

한번은 방학 중에 권태롭고 늘 다소 피곤한 얼굴로, 즉 술집을 드나들던 시절의 얼굴로 고향 도시를 어슬렁거리며, 산책용 지팡이를 빙빙 돌리며, 속물들의 변함없이 똑같은, 경멸스러운 늙은 얼굴들을 들여다보고 있는데 그때 내 옛 친구가 맞은편에서 걸어왔다. 그를 보자마자 나는 움찔했다. 그리고 번개처럼 재빨리 프란츠 크로머를 생각했다. 데미안이 그 이야기를 정말로 잊어버렸기를! 그에게 의무를 지고 있다는 것이 무척 불쾌했다. 사실 정말이지 멍청한 어린애들 이야기였다. 그래도 마음의 빚이 있기는 했다.

데미안은 내가 그에게 인사하려는 것인지 보려고 기다리는 것 같았다. 내가 될 수 있는 대로 태연하게 인사를 하자 그가 손을 내밀었다. 그것은 다시금 그다운 악수였다! 그렇게 굳고 따뜻하고, 그러면서도 서늘하고 남자다웠다!

그가 주의 깊게 내 얼굴을 들여다보며 말했다. "너 컸구나, 싱클레어." 그 자신은 전혀 달라 보이지 않았다. 똑같이 나이들고, 똑같이 어렸다. 언제나 그렇듯이.

우리는 함께 산책을 하며 온통 소소한 일들에 대해서만 이야기했고, 당시에 대해서는 아무 말도 하지 않았다. 내가 그에게 언젠가 몇 번 편지를 썼는데 답장받지 못한 일이 생각났다. 아, 그가 그것도 잊어버렸으면 좋을 텐데, 그 멍청한, 멍청한 편지들을! 그는 그것에 대해서도 아무 말이 없었다.

당시에는 베아트리체도, 초상도 존재하지 않았다. 나는 아직 내 황량한 시절 한가운데 있었다. 교외에서 나는 그에게 함께 술집에 가자고 했다. 그가 따라왔다. 나는 떠벌리면서 술한 병을 시키고, 따르고, 잔을 부딪치며 대학생식의 음주 관습들에 익숙하다는 것을 과시했다. 첫 잔을 단숨에 비우기도 했다.

"술집에 많이 가는구나?" 그가 나에게 물었다.

"아, 그래." 내가 굼뜨게 대답했다. "달리 무얼 하겠어? 그게 결국은 그래도 늘 제일 신나는 일이잖아."

"그렇게 생각해? 그럴 수도 있겠지. 그것에도 아주 멋진 면이 있긴 해. 도취, 바쿠스적인 것! 하지만 내가 보기에 그런 멋진 요소는 술집에 많이 앉아 있는 대부분의 사람들에게서 완전히 사라진 것 같아. 바로 술집 출입이야말로 뭔가 정말 속물적인 것 같다는 느낌이 들어. 그래, 하룻밤 불타는 횃불을 들고, 제대로 된 멋진 도취와 비틀거림으로! 그거야 좋지. 하지만 그렇게 홀짝홀짝 한 잔 한 잔 마셔 대는 건 아마 진짜가 아닐걸? 이를테면 저녁이면 저녁마다 단골 술집 테이블에 앉아 있는 파우스트를 상상할 수 있겠어?"

나는 술을 마시고 적의에 차 그를 바라보았다.

"그래, 그렇지만 누구나 파우스트 같은 사람은 아니잖아." 내가 짧게 말했다.

그가 약간 어리둥절해하며 나를 바라보았다.

그러더니 웃었다. 예전의 신선함과 우월함을 보이며.

"자, 뭐 하러 그런 걸 가지고 너와 다투겠니? 아무튼 술꾼이나 방탕아의 삶은 아마도 나무랄 데 없는 시민의 삶보다 생기가 있겠지. 그런데 언젠가 읽었는데 말이야, 방탕아의 삶은 신비주의자를 위한 최고의 준비 가운데 하나라는군. 예언자가 된 성 아우구스티누스 같은 사람들이 늘 있기도 하고 말이야. 성 아우구스티누스는 한때 향락주의자이자 방탕아였지."

나는 미심쩍었으며 결코 그로부터 훈계를 듣고 싶지 않았다. 그래서 권태롭다는 듯 말했다. "그래, 누구든 자기 취향에 따르겠지! 털어놓고 고백하면, 나는 예언자 같은 무엇이 되는 일 따위에는 전혀 관심 없어."

데미안이 눈을 가느스름하게 뜨고 알겠다는 듯 나를 쏘아보았다.

"이봐, 싱클레어." 그가 천천히 말했다. "너한테 유쾌하지 않은 말을 하려는 건 아니었어. 아무튼 어떤 목적으로 네가 지금 술을 마시는지는 우리 둘 다 알 수 없어. 하지만 너의 인생을 결정하는, 네 안에 있는 것은 그걸 벌써 알아. 이걸 알아야 할 것 같아. 우리 속에는 모든 것을 알고, 모든 것을 하고자 하고, 모든 것을 우리 자신보다 더 잘 해내는 어떤 사람이 있다는 것 말이야. 미안하지만 난 집에 가 봐야겠다."

우리는 짧게 작별 인사를 했다. 나는 기분이 몹시 언짢은 채 그대로 앉아 잔을 다 비웠다. 술집을 나설 때 데미안이 벌써 계산을 했다는 것을 알았다. 그것 때문에 더욱 화가 났다.

내 생각은 다시 이 작은 사건에 머물렀다. 내 생각은 데미안으로 가득 찼다. 그가 그 교외 술집에서 한 말들이, 기이하게도 신선하게 내 기억 속에 고스란히 다시 떠올랐다. "이걸 알아야 할 것 같아. 우리 속에는 모든 것을 아는 어떤 사람이 있다는 것 말이야!"

나는 창문에 걸려 있는, 이제는 빛이 완전히 사라진 그림을 쳐다보았다. 빛이 사라졌는데도 보였다. 두 눈은 아직도 활활 타고 있었다. 그것은 데미안의 시선이었다. 혹은 내 속에 있는 사람, 모든 것을 아는 그 사람이었다.

데미안이 얼마나 그리웠던가? 그에 대해서는 아무것도 몰랐다. 그는 연락이 되지 않는 사람이었다. 내가 아는 것은 아마도 지금은 어딘가에서 대학을 다니고 있다는 것, 그의 김나지움 시절이 끝나고 나서 그의 어머니가 우리 도시를 떠났다는 것뿐이었다.

크로머와의 이야기로 돌아가기까지 나는 내 마음속에서 막스 데미안에 대한 모든 추억을 찾았다. 얼마나 많은 것이 그때 다시 울리기 시작했는지. 그가 언젠가 나에게 해 준 말이나 그 밖의 모든 것이 오늘까지도 의미가 있었고, 당면 문제였으며, 나에게 관계되었다! 그다지 즐겁지 않았던 우리의 마지막 만남에서 그가 방탕자와 성인에 대해 말한 것도 갑자기 내 영혼 앞에 환하게 떠올랐다. 나도 꼭 그렇게 된 것 아니었을까? 나는 취기와 더러움 속에서, 마비와 상실 속에서 산 것이 아니었을까? 마침내 새로운 인생의 충동에 의해 바로 반대의 것이, 정결함에의 욕구, 성스러움에의 동경이 내 마음속에서 살아날 때까지?

그렇게 계속 기억을 따라갔다. 벌써 오래전에 밤이 되었고 바깥에서는 비가 내리고 있었다. 내 기억 속에서도 빗소리가 들렸다. 그것은 마로니에 나무들 밑, 그가 언젠가 프란츠 크로머 때문에 나한테 캐묻고 나의 첫 비밀들을 알아맞힌 때였다. 하나하나가 나타났다. 학교 가는 길에서의 대화들, 견진 교리 수업 시간들 그리고 마지막으로 막스 데미안과의 첫 만남이 떠올랐다. 그때는 무엇이 문제되었던가? 나는 얼른 대답이 떠오르지 않았다. 천천히 생각했다. 그 생각에 완전히 침잠했다. 그런데 이제 다시 떠올랐다, 그것도. 우리는 우리 집 앞에 서 있었다. 그가 나에게 카인에 대한 자신의 의견을 알려 준 뒤였다. 그곳에서 그는 우리 집 현관문 위에 붙어 있는, 밑에서부터 위쪽으로 넓어지는 마감석에 새겨진, 오래되어 마모된 문장(紋章)에 대해서 말했다. 그가 말했다. 그 문장이 흥미롭다고, 그런 것들에 유의해야 한다고.

그날 밤 나는 데미안과 문장 꿈을 꾸었다. 문장의 모습이 끊임없이 바뀌었다. 데미안이 그것을 두 손에 들고 있었다. 작고 회색인가 하면 거대하고 여러 색깔이다. 그러나 데미안은 그렇지만 그것이 언제나 똑같은 것이라고 설명해 준다. 그러나 마침내 그가 나에게 억지로 문장을 먹였다. 그것을 삼키자 삼킨 문장이 내 속에 살아 있어 나를 다 채우고 안에서부터 나를 파먹어 오기 시작하는 것이 느껴져 나는 엄청나게 놀랐다. 죽음에 대한 두려움으로 가득해진 나는 펄쩍 뛰어 일어나며 잠에서 깨었다.

잠이 싹 달아났다. 한밤중이었다. 방 안으로 비가 들이치는 소리가 들렸다. 나는 창문을 닫으려고 일어났다. 그러다 방바

닥에 떨어져 있는 무언가 환한 것을 밟았다. 아침에 보니 그
것은 내가 그린 그림이었다. 그림은 종이가 축축해진 채 방바
닥에 놓여 있고 불룩하게 뒤틀려 있었다. 마르라고 그림을 압
지 사이에 끼워 무거운 책 속에 펴 넣었다. 다음 날 다시 찾아
보니 말라 있었다. 그러나 그림이 달라져 있었다. 붉은 입이 바
래고 약간 좁아져 있었다. 이제 완전히 데미안의 입이었다.

새 종이에 문장의 새를 그리기 시작했다. 새가 원래 어떤 모
습이었는지 이제는 똑똑히 알 수 없었고 그 가운데 몇 가지
는, 내가 아는 바로는 가까이에서도 이제 잘 알아볼 수 없기
도 했다. 문장이 낡은 데다가 자주 페인트를 덧칠했기 때문이
다. 그 새는 무언가의 위에 서 있거나 앉아 있었는데, 어쩌면
한 송이 꽃 아니면 광주리나 둥우리 혹은 화관 위였는지도 모
른다. 그것을 더는 신경 쓰지 않고 뚜렷한 표상을 가진 것에
서부터 시작했다. 명확하지 않은 욕구에 따라 나는 즉시 강한
색채로 시작했다. 새의 머리는 내 도화지 위에서 황금빛이었
다. 기분 내키는 대로 계속해서 며칠 내로 완성했다.

이제 그것은 날카롭고 대담한 매의 머리를 가진 한 마리 맹
금이었다. 몸의 절반은 어두운 지구 땅덩이 속에 박혀 있는데,
커다란 알에서부터인 듯 땅덩이에서 나오려고 푸른 하늘 바
탕 위에서 애쓰고 있었다. 그림을 꽤 오래 물끄러미 바라보고
있자니 점점 더 마치 내 꿈속에서 나타났던 색깔 있는 문장
같았다.

데미안에게 편지를 쓰는 일은 나로서는 불가능했던 것 같
다. 설령 어디로 보내야 하는지 알았더라도 말이다. 그러나 당

시에 내가 매사를 처리했던 것과 똑같이 꿈 같은 예감에 사로잡혀, 보낸 그림이 그에게 닿든 닿지 않든 간에 그에게 매 그림을 보내기로 결정했다. 그림에는 아무것도 쓰지 않았다. 내 이름도 쓰지 않았다. 가장자리들을 조심스럽게 자르고 커다란 종이봉투를 사서 그 위에 내 친구의 예전 주소를 적었다. 그러고는 보냈다.

시험이 다가오고 있었고 나는 여느 때보다 더 학업을 위해 공부해야만 했다. 내가 형편없는 방황을 갑자기 청산하고부터 선생님들이 너그럽게도 나를 다시 받아들였다. 당시에도 나는 훌륭한 학생은 아니었겠지만, 나도 또 다른 누구도 반년 전에 나에게 벌로 내려졌던 정학 처분이 누가 봐도 있음 직한 일이었다는 생각을 하지 않게 되었다.

아버지도 이제는 비난도 위협도 없이 다시 전 같은 어조로 편지를 썼다. 그렇지만 나는 아버지나 그 누구에게 어떻게 나에게 변화가 일어났는지 설명하려는 충동을 느끼지 않았다. 이 변화가 우리 부모님과 선생님들의 소망과 일치한 것은 우연이었다. 이 변화는 나를 다른 사람들에게로 데려가지 않았다. 나를 그 누구에게도 접근시키지 않았다. 나를 더 고독하게 만들 뿐이었다. 그것은 그 어딘가를 목표로 삼고 있었다. 데미안을, 먼 운명을. 나 스스로는 몰랐다. 나야 그 한가운데 있었잖은가. 베아트리체로 일이 시작되었으나, 얼마 전부터 나는 그림 그려진 종이들 그리고 데미안에 대한 생각들과 더불어 살고 있었다. 얼마나 완벽하게 비현실적인 세계 속에서 살았는지 베아트리체마저 시야에서, 생각에서 까마득히 사라졌다.

내 꿈들, 내 기대들, 내 내면의 극심한 변화에 대해 나는 아무에게도 한마디도 말할 수 없었던 것 같다. 설령 그렇게 하고자 했더라도 못 했을 것이다.

하지만 내가 어떻게 그러고 싶어 할 수 있었겠는가?

# 새는 알에서 나오려고 투쟁한다

내가 그린 꿈속의 새는 내 친구를 찾아 날아갔다. 너무 놀랍게도 나에게 답장이 왔다.

학교 우리 반 교실 내 자리에서 한번은 쉬는 시간이 끝난 뒤 다음 수업이 미처 시작되기 전에 쪽지 하나가 내 책에 꽂혀 있는 것을 발견했다. 그것은 우리 반 학생들이 수업 시간에 몰래 서로 쪽지를 보낼 때 흔히 접는 것과 똑같이 접혀 있었다. 내가 놀랐던 것은 다만 누가 나한테 그런 쪽지를 보냈을까 하는 생각에서였다. 나는 어떤 학우와도 그런 식으로 사귀는 사이가 아니었기 때문이다. 나야 끼지 않을 테지만, 어떤 학생다운 장난을 하자는 것이겠거니 하고 쪽지를 읽지도 않은 채 책 앞쪽에 끼워 넣었다. 수업 도중에 우연히 그 쪽지가 다시 손에 들어왔다.

종이를 만지작거리다 아무 생각 없이 폈는데 그 안에 몇 마디 말이 적혀 있는 것을 보았다. 그 위로 시선을 한 번 던지고는 말 한마디에 사로잡혀 버렸다. 나는 놀라 읽었다. 그사이 나의 가슴은 운명 앞에서 큰 추위가 닥친 듯 오그라들었다.

"새는 알에서 나오려고 투쟁한다. 알은 세계이다. 태어나려는 자는 하나의 세계를 깨뜨려야 한다. 새는 신에게로 날아간다. 신의 이름은 아브락사스."

이 글줄을 몇 차례 읽은 뒤 나는 깊은 생각에 빠졌다. 어떤 의심도 불가능했다. 이것은 데미안이 보낸 답장이었다. 나와 그 말고 그 새에 대해 아는 사람은 있을 수 없었다. 내 그림을 그가 받은 것이다. 그는 이해하였고 내가 해석하는 것을 도운 것이다. 하지만 이 모든 것이 서로 무슨 관련이 있단 말인가? 그리고 무엇보다 나를 괴롭힌 것은 아브락사스란 무엇인가 하는 의문이었다. 들어 본 적도 읽어 본 적도 없는 말이었다. "신의 이름은 아브락사스!"

수업을 조금도 듣지 못한 채 그 시간이 갔다. 다음 시간이 시작되었다. 오전의 마지막 수업이었다. 그 시간은 젊은 보조 선생님 담당이었다. 대학을 갓 졸업했는데, 그렇게 젊다는 것 그리고 우리에게 거짓 품위를 보이려 들지 않았다는 것만으로도 벌써 우리의 호감을 산 분이었다.

우리는 그 폴렌스 선생님의 지도로 헤로도토스를 읽고 있었다. 이 강독은 내가 흥미를 가진 몇 안 되는 과목이었다. 그러나 이번에 나는 정신이 딴 데 팔려 있었다. 기계적으로 책을 폈으나, 번역을 따라가지 않고 내 생각에 빠져 있었다. 아무튼 나는 데미안이 그때 종교 수업 시간에 말한 것이 얼마나 옳은지 이미 몇 차례 경험을 통해 알고 있었다. 사람이 충분히 강렬하게 소망하는 것, 그것은 정말 이루어졌다. 수업 중에 내가 아주 강렬하게 나 자신의 생각에 열중하고 있으면, 선생님도 나를 그대로 둘 만큼 열중해 있으면 나는 조용히 있을 수 있었다. 그렇다, 산만하거나 졸고 있을 때는 선생님이 갑자기 와 있었다. 여느 때 나도 그런 일을 겪었다. 그러나 정말 생각하고, 정말 침잠해 있을 때는 지켜졌다. 뚫어질 듯 바라보는 일은 나도 벌써 시험해 보았고 믿을 만한 것임을 알았다. 그때 데미안과 만나던 시절에는 되지 않았는데, 이제는 자주 시선과 생각으로 아주 많은 것을 달성할 수 있다는 것을 느꼈다.

그때도 나는 그렇게 앉아 헤로도토스와 학교로부터 멀리 떨어져 있었다. 그러나 나도 모르는 사이 선생님의 목소리가 번개처럼 내 의식을 치고 들어왔다. 화들짝 깨어났다. 선생님의 목소리가 들렸다. 바로 내 곁에 바싹 다가와 서 있는 것이었다. 내 이름을 부른 줄 알았는데 선생님은 나를 보지 않았다. 나는 안도의 숨을 내쉬었다.

그때 선생님의 목소리가 다시 들렸다. 그 목소리는 커다랗게 '아브락사스'라고 말했다.

나는 처음 부분은 듣지 못했는데 폴렌스 선생님이 계속 설명했다. "우리는 저 종파의 세계관과 고대의 신비주의적인 합일을, 합리주의적인 관찰의 입장에서 보듯이 그렇게 단순하게 상상해서는 안 됩니다. 오늘날 우리가 말하는 의미의 학문이란 고대에는 존재하지도 않았습니다. 그 대신 아주 고도로 발달된, 철학적 신비주의적 진실들을 다루는 연구가 있었습니

다. 거기에서 부분적으로는 아마 자주 사기와 범죄로도 이어
지는 주술과 게임도 나왔습니다. 주술에도 고귀한 유래와 깊
은 사상이 있는 것입니다. 내가 앞서 예로 든 아브락사스 학설
도 그렇습니다. 오늘날에도 사람들은 이 이름을 그리스의 주
문과 연관 지어 일컫습니다. 오늘날에도 미개 민족들이 믿는
마술 부리는 악마의 이름쯤으로 생각하는 것입니다. 그러나
아브락사스는 훨씬 더 많은 의미를 가지는 것 같습니다. 우리
는 그 이름을 신적인 것과 악마적인 것을 결합하는 상징적 과
제를 지닌 어떤 신성의 이름쯤으로 생각할 수 있겠습니다."

　그 조그맣고 학식 많은 분이 섬세하고도 열정적으로 계속
이야기를 해 나갔다. 주목하는 사람은 아무도 없었다. 그리고
아브락사스라는 이름이 더 이상 나오지 않자 나의 주의력도
나 자신 안으로 가라앉았다.

　"신적인 것과 악마적인 것을 결합"한다는 말의 여운이 귀에
남아 있었다. 나는 이 말에서 연결시킬 수 있었다. 그 말은 우
리 우정의 마지막 시절 데미안과 나눈 대화들에서 친숙한 것
이었다. 당시에 데미안이 말했다. 우리는 아마도 우리가 존경
하는 하나의 신을 가지고 있겠지만, 그는 함부로 갈라놓은 세
계의 절반만 나타낸다고.(그것은 공식적이고, 허용된 '환한' 세계
였다.) 그러나 세계 전체를 존중할 수 있어야 한다고. 그러니까
악마이기도 한 하나의 신을 갖든지, 아니면 신을 위한 예배와
더불어 악마를 위한 예배도 만들어야 한다는 것이었다. 그러
니까 아브락사스는 신이기도 하고 악마이기도 한 신이었다.

　한동안 나는 아주 열성적으로 계속 그 자취를 찾았다. 진

전은 없었다. 아브락사스를 찾아 온 도서관을 성과 없이 뒤지기도 했다. 그렇지만 기껏해야 손안에 든 돌 하나에 머물러 있는 진실만을 찾아내는 식의 직접적이고 의식적인 탐구에 나의 본질이 깊이 열중하지는 못했다.

얼마 동안 내내 그토록 열렬히 열중했던 베아트리체의 영상이 이제 서서히 가라앉았다. 아니면 오히려 천천히 나로부터 떠나갔다. 점점 더 지평선에 접근해서, 더 그림자 같고, 더 멀어지고, 더 빛바래 갔다. 이제는 영혼을 충족하지 못했다.

이제 특이하게 나 자신 속으로 자아 넣은 현존 속에서, 내가 몽유병자처럼 영위하는 현존 속에서 새로운 형성이 이루어지기 시작했다. 삶에의 동경이, 아니 그보다는 사랑에의 동경이 내 안에서 꽃피었다. 그리고 한동안 베아트리체 숭배를 통해 해소될 수 있었던 성욕이 새로운 영상과 목표를 요구했다. 아직 여전히 그 어떤 성취도 이루지 못했다. 동경을 기만하고 내 친구들이 그들의 행복을 찾는 소녀들로부터 무언가를 기대하는 것은 나로서는 그 어느 때보다 더 불가능했다. 나는 다시 심하게 꿈을 꾸었다. 그것도 밤보다 낮에 더 많이. 상상들이, 영상들 혹은 소망들이 내 안에서 솟아올라 나를 바깥 세계와 분리시켰다. 나는 현실의 환경보다 내 마음속의 이 영상들, 이 꿈들 혹은 그림자들과 더 현실적으로, 더 생생하게 교류하며 살았다.

특정한 꿈 혹은 거듭 나타나는 한 가지 환상의 유희가 나에게 극히 중요해졌다. 이 꿈, 내 인생의 가장 중요하고 가장 불길한 꿈은 대략 이랬다. 내가 부모님 집으로 돌아간다. 현관문 위에는 문장의 새가 푸른 바탕 위에서 노란색으로 빛을 내고 있다. 집 안에서 어머니가 나를 향해 온다. 그러나 내가 들어서며 어머니를 포옹하려 했을 때, 그것은 어머니가 아니라 한 번도 본 적 없는 인물이었다. 키 크고 힘 있는 인물, 막스 데미안이나 내가 그린 그림과 비슷한데 또 달랐다. 그리고 힘이 있는데도 완전히 여성적이었다. 이 인물이 나를 자기에게로 끌어당겨 전율을 일으키는 깊은 사랑의 포옹을 했다. 희열과 오싹함이 뒤섞였다. 그 포옹은 예배였고 그만큼 범죄였다. 나를 포옹한 인물 속에는 어머니에 대한 너무 많은 추억, 내 친구 데미안에 대한 너무 많은 추억이 유령처럼 서려 있었다. 그 인물의 포옹은 모든 경외심을 배척했으나, 그럼에도 축복의 희열이었다. 나는 자주 깊은 행복감을 느끼며, 죽음에의 두려움과 격심한 양심의 가책을 느끼며 무서운 죄악에서 벗어나듯 이 꿈에서 깨어났다.

다만 서서히 그리고 무의식적으로 이 완전히 내면적인 영상과 바깥으로부터 내게로 온, 찾아야 할 신에 대한 신호 사이에서 하나의 결합이 이루어졌다. 그리고 이 결합은 그 후 더 긴밀해지고 더 내밀해졌으며 나는 바로 이 예감의 꿈속에서 내가 아브락사스를 불렀음을 느끼기 시작했다. 희열과 오싹함이 섞이고, 남자와 여자가 섞이고, 지고와 추악이 뒤얽히고, 깊은 죄에는 지극한 청순함으로 충격을 주었다. 나의 사랑의 꿈의 영상은 그러했다. 그리고 아브락사스도 그러했다. 사랑은 이제 더 이상 처음에 겁을 먹고 느꼈던 것처럼 동물적인 어두운 충동이 아니었다. 그리고 그것은 이제 또한 더 이상 내가 베아트리체의 영상에 바친 것 같은 경건하게 정신화된 숭배 감정도 아니었다. 사랑은 그 둘 다였다. 둘 다이며 그것들을 훨씬 넘어서는 것이었다. 사랑은 천사상이며 사탄이고, 하나가 된 남자와 여자, 인간과 동물, 지고의 선이자 극단적 악이었다. 이 양극단을 살아가는 것이 나의 운명으로 정해져 있는 것처럼 보였다. 이것을 맛보는 것이 나의 운명으로 보였다. 나는 운명을 동경하고, 운명을 두려워했지만, 운명은 늘 그곳에 있었다. 늘 내 위에 있었다.

이듬해 봄에 나는 김나지움을 떠나 대학으로 가기로 되어 있었다. 아직 어디서 무얼 해야 할지 몰랐다. 코 밑에는 수염이 조금 자랐다. 나는 성인이었다. 그렇지만 완벽하게 무력하고 목표가 없었다. 단 한 가지 내 속의 목소리, 그 꿈의 영상만 확실했다. 나는 그 영상의 인도에 맹목적으로 따라가야 한다는 의무를 느꼈다. 그러나 어렵게 느껴졌다. 그리고 날마다 반항했다. 내가 돌았나 보다고 때때로 생각했다. 어쩌면 내가 다른 사람들과 같지 않은 걸까? 그러나 다른 사람들이 해내는 것은 나도 전부 할 수 있었다. 약간 열심히 애쓰면 플라톤을 읽을 수 있었고, 삼각법 과제를 풀거나 화학 분석을 따라갈 수 있었다. 나는 단 한 가지만 할 수 없었다. 내 안에 어둡게 숨겨진 목표를 끌어내 내 앞 어딘가에 그려 내는 일, 교수나 판사, 의사나 예술가가 될 것이며, 그러자면 얼마나 걸리고, 그것이 어떤 장점들을 가질지 정확하게 아는 다른 사람들처럼 그려 내는 일, 그것은 할 수 없었다. 어쩌면 나도 언젠가 그런 무엇이 될지도 모르지만, 내가 그것을 어떻게 안단 말인

가? 어쩌면 나도 찾고 또 계속 찾아야겠지. 여러 해를, 그러고
는 아무것도 되지 않고, 어떤 목표에도 이르지 못하겠지. 어쩌
면 나도 하나의 목표에 이르겠지만 그것은 악하고, 위험하고,
무서운 목표일지도 모른다.

내 속에서 솟아 나오려는 것, 바로 그것을 나는 살아 보려
했다. 그러기가 왜 그토록 어려웠을까?

나는 자주 내 꿈속 강렬한 사랑의 영상을 그려 보려 했다.
그러나 한 번도 성공하지 못했다. 성공했더라면 그림을 그린
종이를 데미안에게 보냈을 텐데. 그는 어디에 있을까? 나는 알
지 못했다. 아는 건 오직 그가 나와 결합되어 있다는 것뿐. 언
제 그를 다시 볼 수 있을까?

베아트리체 시절의 저 몇 주일, 몇 달의 다정한 안정이 오래
전에 사라졌다. 나는 그때 하나의 섬에 도달했고 평화를 찾아
냈다고 생각했다. 그러나 늘 그랬다. 하나의 상태를 좋아하게
되자마자, 하나의 꿈이 편안해지자마자 그것은 어느새 벌써
시들고 흐려졌다. 부질없다, 그 뒷모습을 보며 탄식함은! 나는
이제 가라앉지 않은 욕망, 팽팽한 기대의 불 속에서 살았다.
그것은 자주 나를 완전히 난폭하게, 미치게 만들었다. 꿈속 연
인의 영상이 자주 살아 있는 연인의 모습보다 더 똑똑하게 눈
앞에 보였다, 나 자신의 손보다 훨씬 더 똑똑하게. 나는 그 영
상과 더불어 이야기하고, 그 앞에서 울고, 그것으로부터 도피
했다. 나는 그것을 어머니라고 부르고 그 앞에서 눈물을 흘리
며 무릎 꿇었다. 연인이라고 부르고 모든 것을 이루어 주는 그
성숙한 입맞춤을 예감했다. 그것을 악마며 창녀, 흡혈귀며 살

인자라고 부르면 그 영상은 더할 나위 없이 애정 어린 사랑의 꿈으로, 파렴치한 황음(荒淫)으로 나를 유혹했다. 그 영상에게는 그 무엇도 지나치게 선하고 귀하지 않았다. 그 무엇도 너무 나쁘고 저열하지 않았다.

나는 온 겨울을 묘사하기 어려운 내면의 폭풍 속에서 보냈다. 외로움에는 오래전부터 익숙해져 있었다. 외로움은 나를 짓누르지 않았다. 나는 데미안과 새와 내 운명이자 연인이었던 위대한 꿈속의 영상과 함께 살았다. 그 안에서 사는 것으로 충분했다. 모든 것이 위대함과 광대함을 지향했고, 모든 것이 아브락사스의 암시였다. 그러나 이 꿈들 중 어느 것도 나에게 복종하지 않았다. 어느 것도 내가 부를 수는 없었다. 그것들이 와서 나를 가졌다. 나는 그것들의 다스림을 받았다. 그것들에 의해 살았다.

바깥에서 보기에는 내가 아마 안정되어 있었을 것이다. 나는 사람을 무서워하지 않았다. 그것을 내 학우들도 알아서 내게 남모르는 존경을 보내 자주 나의 미소를 자아냈다. 원한다면 나는 그들 대부분을 아주 잘 꿰뚫어 볼 수 있었고 이따금씩 그렇게 해서 그들을 깜짝 놀라게 할 수 있었다. 다만 내게 그러고 싶은 마음이 드물게 생기거나 전혀 생기지 않았다. 나는 늘 나에게 열중해 있었다. 늘 나 자신에게. 그리고 이제 마침내 한번 인생의 한 토막을 살아 보기를, 나에게서 나온 무언가를 세계 속에다 주기를, 세계와 관계를 가지고 싸움을 벌이기를 열렬히 갈망했다. 이따금씩 저녁에 거리를 걸을 때 그리고 초조함에 자정까지도 집으로 돌아올 수 없을 때, 그럴 때 나는 이따금씩 생각했다. 지금, 바로 지금 틀림없이 나의 연인이 내게 오고 있을 것이라고, 다음 모퉁이를 지나고 있을 것이라고. 그 모든 것이 때로는 견딜 수 없이 고통스러워 죽어 버릴 작정도 했다.

당시에 나는 흔히들 말하는 대로 '우연'에 의해 특이한 도피처를 찾아냈다. 그러나 그런 우연이란 존재하지 않는다. 무언가를 절실하게 필요로 하는 사람이 자신에게 정말로 필요한 것을 찾아내면, 그것은 그에게 주어진 우연이 아니라 그 자신이, 그 자신의 욕구와 필요가 그를 그것으로 인도한 것이다.

두세 번 시내를 오가는 길에 어느 교외의 자그마한 교회에서 오르간 연주 소리를 들었다. 그곳에 머물지는 않았다. 다음번에 지나갈 때 그 소리를 또 들었다. 그리고 바흐가 연주된다는 것을 알았다. 나는 문으로 갔다. 문은 잠겨 있었다. 그리고 골목에는 사람이 거의 없어 교회 옆 방충석(防衝石)에 앉아 외투 깃을 세우고는 귀 기울였다. 크지는 않지만 그래도 좋은 오르간이었다. 그런데 연주가 놀라웠다. 극도로 개인적인 의지와 끈질김의 표현이어서 마치 기도처럼 들렸다. 이런 생각이 들었다. 저기서 연주하는 사람은 이 음악에 보물 하나가 숨겨져 있다는 것을 안다. 그래서 자신의 생명을 얻듯 이 보물을 얻어 내려고 구하고, 가슴 두근거리고, 애쓰고 있다고. 나는 기교면에서는 음악을 잘 이해하지 못하지만, 바로 이런 영혼의 표현은 어린 시절부터 본능적으로 이해했으며 음악적인 것을 내 안의 자명한 것으로 느끼고 있었다.

음악가는 이어서 현대 음악도 연주했다. 레거의 곡인 것 같았다. 교회는 거의 완전히 어두웠다. 다만 아주 엷은 빛 한 줄기가 바로 옆 창문을 뚫고 들어갔다. 나는 음악이 끝날 때까지 기다렸다. 그다음에 이리저리 거닐고 있자니 마침내 오르간 연주자가 나오는 것이 보였다. 나보다 나이가 들었어도 아직 젊은 사람이었다. 체격이 다부지고 땅딸막했는데, 힘차면서도 내키지 않는 듯한 걸음으로 급히 그곳을 떠났다.

그때부터 이따금씩 나는 저녁 시간에 그 교회 앞에서 앉아 있거나 오락가락했다. 한번은 문이 열려 있는 것이 보였다. 그 오르간 연주자가 높은 곳에 매달린 빈약한 가스등 불빛 속에서 연주하는 동안 나는 추위에 떨면서도 행복하게 반 시간을 교회 회중석에 앉아 있었다. 그가 연주하는 음악에서 내가 들은 것은 그 사람 자신만은 아니었다. 그가 연주하는 모든 것이 자기들끼리 밀접하게 관계 맺고 있는 듯했다. 남모르는 연관을 갖고 있는 것 같았다. 그가 연주하는 모든 것에 신앙심이 담겨 있었다. 헌신적이고 경건했다. 그러나 교회 가는 사람들이나 목사님들처럼 경건한 것이 아니라 중세의 걸인 순례자처럼 경건했다. 모든 종파를 초월하는 세계 감정에의 남김 없는 헌신으로 경건했다. 바흐 이전의 대가들과 옛 이탈리아인들의 음악이 노련하게 연주되었다. 그리고 모든 연주곡들이 한결같이 같은 것들을 말했다. 모두가 그 음악가의 영혼에 담긴 것을 나타냈다. 그리움, 더없이 열렬한 세계의 포착, 세계와의 가장 난폭한 재결별, 자신의 어두운 영혼에 대한 절실한 귀 기울임, 헌신에의 도취와 경이로움에 대한 깊은 호기심을.

한번은 교회에서 나오는 오르간 연주자를 몰래 따라갔는

데, 멀리 도시 외곽의 작은 선술집으로 들어가는 것이었다. 나는 마음에 맞서지 못하고 이끌린 듯 그를 따라 들어갔다. 그곳에서 처음으로 그 사람의 모습을 똑똑하게 보았다. 그는 작은 술집 한 모퉁이에 있는 주인 맞은편 테이블에 머리에는 까만 펠트직 모자를 쓰고, 포도주 한 잔을 앞에 놓은 채 앉아 있었다. 그의 얼굴은 내가 기대했던 대로였다. 못생기고, 약간 거칠었으며, 탐색적이고, 완고하고, 고집스럽고, 의지에 차 있었다. 그러면서도 입 주위는 부드럽고 어린아이 같았다. 남성다운 강함은 모두 눈과 이마에 모여 있었다. 얼굴의 아랫부분은 여리고 미성숙했다. 자제되지 않고 부분적으로는 약간 약했다. 우유부단함이 여실히 보이는 턱은 이마나 시선과는 대조적으로 소년다웠다. 자부심과 적의에 찬, 짙은 갈색 눈이 호감을 주었다.

나는 말없이 그 맞은편에 앉았다. 술집에 다른 사람은 아무도 없었다. 그가 마치 쫓아 버리려는 듯이 나를 쏘아보았다. 그렇지만 나는 버텨 냈으며 마침내 그가 우악스럽게 툴툴거릴 때까지 눈을 떼지 않고 그를 바라보았다. "대체 뭐 때문에 그렇게 빌어먹게 쏘아본단 말요, 나한테 원하는 거라도 있소?"

"선생님한테 원하는 건 없습니다." 내가 말했다. "벌써 선생님에 대해 많은 것을 알고 있는데요."

그가 이마를 찌푸렸다.

"그래, 음악 팬이오? 음악 때문에 얼빠지는 게 난 구역질 나는데."

나는 겁먹고 물러서지 않았다.

"벌써 선생님 음악을 들었습니다. 저 바깥에 있는 교회에서요." 내가 말했다. "아무튼 귀찮게 할 생각은 없습니다. 선생님 곁에서 어쩌면 무얼 찾아낼지도 모른다고 생각했지요. 뭔가 특별한 것, 뭔지는 잘 모르겠지만요. 그런데 선생님은 제 말을 전혀 듣고 싶지 않으신 것 같군요! 저는 선생님께 귀 기울이는데요, 교회에서 말입니다."

"난 언제나 문을 잠그는데."

"최근에 그걸 잊어버리셨습니다. 저는 안에 앉아 있었고요. 보통 때는 바깥에 서 있거나 방충석 위에 앉아 있습니다."

"그래요? 다음번에는 들어오시구려, 안은 한결 따뜻하오. 그럴 때는 그냥 문을 두드리시오. 노크는 힘차게 해야 해요. 내가 연주하는 동안은 하지 말고. 자, 시작합시다. 무슨 말을 하려 했소? 아주 젊은 사람이로군. 아마 학생이거나 대학생이겠군. 음악가요?"

"아뇨. 음악을 즐겨 듣습니다. 그러나 그냥 선생님이 연주하시는 것 같은 거요. 아주 절대적인 음악, 한 인간이 천국과 지옥을 흔들고 있다고 느껴지는 음악요. 음악이 정말 좋아요. 음악은 별로 도덕적이지 않기 때문이라고 생각합니다. 다른 모든 것은 도덕적이지요. 저는 도덕적이지 않은 무언가를 찾고 있습니다. 늘 도덕적인 것에 시달렸거든요. 저 자신을 잘 표현할 수가 없네요. 아시죠, 신인 동시에 악마인 신이 틀림없이 있다는 것? 그런 신이 있었다지요. 그런 이야기를 들었습니다."

음악가는 넓은 모자를 약간 뒤로 젖히고 검은색 머리카락을 넓은 이마로부터 흔들어 쓸어 넘겼다. 그러면서 나를 꿰뚫을 듯 바라보며 테이블 너머 나에게로 얼굴을 숙였다.

나직하면서도 호기심에 찬 목소리로 그가 물었다. "조금 전에 말한 신의 이름이 뭐요?"

"유감스럽게도 그 신에 대해서는 거의 모릅니다. 사실 이름밖에 몰라요. 그 이름은 아브락사스입니다."

음악가가 미덥지 않다는 듯 주위를 둘러보았다. 마치 누군가가 우리를 엿듣기라도 하듯이. 그러더니 나에게 다가와 속삭이듯 말했다. "그러려니 했소. 당신은 누구요?"

"저는 김나지움 학생입니다."

"아브락사스는 어디서 알았소?"

"우연히 알았습니다."

그가 테이블을 쳤다. 그의 술이 잔에서 넘쳤다.

"우연이라고! ……멍청한 소리 하지 마, 이 사람아! 아브락사스는 우연히 알게 되는 게 아니야. 알아 두게. 아브락사스에 대해 더 이야기할 테니. 난 아브락사스에 대해 좀 알거든."

그가 입을 다물고 자기가 앉은 의자를 뒤로 밀었다. 내가 잔뜩 기대에 차서 바라보자 그는 얼굴을 찌푸렸다.

"여기서는 아니고! 다음번에. 그때 들으시오."

그러면서 그는 벗어 놓은 외투 호주머니를 뒤져 군밤 몇 개를 꺼내 내게로 던졌다.

나는 아무 말도 하지 않고 그것을 받아서 먹었고 매우 만족했다.

"그러니까!" 그가 한참 뒤에 나직이 말했다. "어디서 알았소, 그에 대해서?"

나는 망설이지 않고 말했다.

"저는 혼자였고 어쩔 줄 모르고 있었습니다." 내가 이야기를 시작했다. "그때 예전의 친구 하나가 떠올랐습니다. 아는 게 많다고 생각했던 친굽니다. 무언가를, 새 한 마리를 그렸습니다. 지구를 뚫고 나오려는 새였지요. 그 그림을 그에게 보냈습니다. 얼마 뒤, 이제 답장을 받으리라고 기대도 안 하게 되었을 때쯤 쪽지 하나를 받았는데, 거기에 이렇게 적혀 있었습니다. '새는 알에서 나오려고 투쟁한다. 알은 세계이다. 태어나려는 자는 하나의 세계를 깨뜨려야 한다. 새는 신에게로 날아간다. 신의 이름은 아브락사스.'라고요."

그는 아무 대꾸가 없었다. 우리는 밤껍질을 벗겨 포도주에 곁들여 먹었다.

"한 잔 더 할까?" 그가 물었다.

"괜찮습니다. 술을 좋아하지 않아요."

그가 다소 실망하며 웃었다.

"좋으실 대로! 난 술을 좋아하지. 난 여기 좀 더 있을 테니 먼저 가 보시오!"

다음번에 오르간 음악이 끝난 뒤 그와 함께 걸었을 때 그는 별로 이야기하려고 하지 않았다. 그는 나를 어느 오래된 골목 안 낡았지만 위풍 있는 집 위층으로 인도해 올라갔다. 커다랗고 다소 황량하고 지극히 보잘것없는 방 안으로. 그곳에는 피아노 한 대 외에는 음악과 상관있어 보이는 것은 아무것도 없었다. 한편 커다란 책장과 책상이 있어 무언가 학자의 방 같은 분위기를 풍겼다.

"책이 참 많군요!" 내가 감탄하며 말했다.

"일부는 우리 아버지 장서요. 아버지 댁에 살고 있거든. 그래, 젊은이, 난 아버지 어머니 집에 살아. 그러나 자네를 부모님께 소개할 수는 없어, 나의 교우 관계가 이 집에서는 크게 존중받지 못하거든. 나는 버려진 자식이오, 아시겠지. 우리 아버지는 빌어먹게 존경할 만한 분이지, 이 도시에서 유명한 목사님이고 설교자시지. 그런데 나는, 바로 환히 알아 두시도록 말하자면 그분의 재능 있고 장래가 촉망되는 아드님이시고. 그러나 궤도를 벗어나 어느 정도 돌아 버린 아들이지. 나는 신학도였는데 국가 고시 직전에 그놈의 답답한 대학을 그만두어 버렸소. 사실 개인적인 연구를 보면 나는 여태도 신학도인데 말이오. 때에 따라 사람들이 어떤 신들을 그때그때 생각해 냈는지, 그것이 나에게는 늘 가장 중요한 관심사였소. 그 외에 나는 지금 음악가이며, 곧 자그마한 오르간 연주자 자리를 얻게 될 것 같소. 그러면 나도 교회에 돌아가게 되는 거지."

나는 꽂힌 책들을 작은 스탠드의 약한 불빛이 밝혀 주는 데까지 죽 살펴보았다. 그리스어, 라틴어, 히브리어 책 제목들이 보였다. 그사이 그 사람은 벽 옆의 캄캄한 방바닥에 엎드려 무언가를 하고 있었다.

"이리 와 보시오." 그가 한참 뒤에 말했다. "우리 이제 철학 좀 해 봅시다. 철학을 한다는 건 '아가리 닥치고 배 깔고 엎드려 생각하기'라고 하오."

그가 성냥을 켜서 그의 앞에 있는 벽난로 속의 종이와 장작에 불을 붙였다. 불꽃이 높이 솟았다. 그가 아주 조심스럽게 불을 쑤석였다. 나는 그 옆 낡아 올이 풀린 양탄자 위에 엎드렸다. 그가 불을 응시했다. 불이 내 마음도 끌어당겼다. 우리는 말없이 아마 한 시간은 배를 깔고 타닥거리는 장작불 앞에 엎드려 불길이 활활 타오르고 싯싯거리고 가라앉아 휘어지고 가물거리고 움칫거리다 마침내 사그라진 조용한 화염 속에서 잦아드는 모습을 바라보았다.

"배화(拜火)는 인간이 창안해 낸 것 중 가장 멍청한 짓만은 아니었어." 그가 혼자서 한 번 웅얼거렸다. 그 밖에는 둘 중 누구도 한마디도 하지 않았다. 나는 굳은 눈으로 불을 응시하며 꿈과 정적 속으로 침잠해 연기 속에서 어떤 영상들을 보았고 재 속에서도 영상들을 보았다. 한번은 내가 화들짝 놀랐다. 함께 불을 보고 있던 그 사람이 이글거리는 불 속에 송진을 조금 던졌던 것이다. 조그맣고 날렵한 불꽃이 솟았다. 그 속에서 나는 노란색 매의 머리를 가진 그 새를 보았다. 꺼져 가는 난롯불이 황금빛으로 작열하는 실 가닥을 한데 모아 그물로 만들었다. 문자와 영상들이 나타났다. 얼굴들, 동물들, 식물들, 벌레와 뱀 들에 대한 추억들이 나타났다. 문득 정신이 들어 상대방 쪽을 바라보니 그는 턱을 두 주먹 위에 놓은 채 몰두하여 신들린 듯 재 속을 응시하고 있었다.

"이제 가야겠는데요." 내가 나직이 말했다.

"그럼 가시오. 또 봅시다!"

그는 일어나지 않았다. 등불이 꺼졌기 때문에 나는 더듬거리며 어두운 방과 어두운 복도며 계단을 가까스로 지나 그 저주받은 낡은 집을 나왔다. 거리에서 멈추어 그 낡은 집을 처다

새는 알에서 나오려고 투쟁한다

보았다. 어느 창에도 불빛이 없었다. 주석으로 만든 작은 문패가 문 앞의 가스등 불빛 속에서 반짝였다.

'수석 목사 피스토리우스'라고 적혀 있었다.

집에 가서 저녁을 먹고 혼자 내 작은 방에 앉아 있을 때 비로소 내가 아브락사스에 대해서도, 피스토리우스에 대해서도 아무것도 듣지 못했으며 우리가 주고받은 말이 열 마디도 안 된다는 생각이 들었다. 그러나 나는 그 집을 찾아갔던 것에 아주 만족했다. 게다가 그가 다음번에는 아주 뛰어난 오래된 오르간 음악 작품인 북스테후데의 파사칼리아를 들려주겠다고 약속한 터였다.

나는 몰랐지만, 내가 그와 함께 벽난로 앞 그의 침울한 은둔자 방의 바닥에 엎드려 있던 때 오르간 연주자 피스토리우스가 나에게 첫 수업을 해 준 것이었다. 나는 불을 들여다보는 것이 기분 좋았다. 불을 들여다보는 것은 내 안에 잠재되어 있었지만 사실 한 번도 보살핀 적 없는 내면의 성향들을 강화하고 확인시켜 주었다. 차츰 내게 부분부분 그것들이 명확해졌다.

어린아이일 때부터 나는 때때로 형태가 기괴한 자연물을 바라보는 버릇이 있었다. 그냥 관찰하는 것이 아니라 그 고유한 마력, 그 얽히고설킨 깊은 언어에 골똘히 몰두하여 관찰했다. 고목처럼 드러난 기다란 나무뿌리, 암석 속에 있는 색색의 결, 물 위에 뜬 기름얼룩, 유리에 난 금 같은 것들이 종종 나에게 커다란 마력을 발휘했다. 특히 물과 불, 연기, 구름, 먼지 그리고 눈을 감으면 보이는 아주 특별하게 선회하는 색 얼룩이. 피스토리우스를 처음 찾아간 뒤 며칠 동안 그런 것들 생각이 다시 떠올랐다. 왜냐하면 그 이후 내가 느낀 활기와 기쁨, 감정의 고조는 그대로 드러난 불을 오래 응시한 덕분이라는 것을 알아차렸기 때문이다. 불을 응시하는 것은 이상하게도 기분 좋고 풍요로워지는 느낌을 주었다!

내가 그때까지 본래의 삶의 목표로 가는 길에서 찾아낸 얼마 안 되는 경험들에 이 새로운 경험이 추가되었다. 그런 모습을 가만히 바라보는 것, 비이성적이고 얽히고설킨, 기이한 자연의 형태들에 몰두하는 것은 우리 내면에서 이 영상을 이루어지게 한 내면의 의지와의 일치감을 낳는다.(우리는 곧 그 일치감을 우리 자신의 기분으로, 우리 자신의 창조로 여기고 싶다는 유혹을 느낀다.) 우리는 우리와 자연 사이의 경계가 흔들리고 흐려지는 것을 보고, 분위기를 알게 된다. 그 분위기 속에서 우리 망막 위의 이 영상들이 바깥의 인상들로부터 비롯됐는지 내면의 인상에서 비롯됐는지 구분할 수 없게 된다. 그 어디에서도 이런 연습에서처럼 간단하고 쉽게 발견해 낼 수 없다. 우리가 어느 정도나 창조자인지, 우리 영혼이 얼마나 지속적으로 세계의 끊임없는 창조에 관여하는지를. 우리 안에서 그리고 자연 안에서 활동하는 것은 오히려 똑같은 불가분의 신성이다. 바깥 세계가 몰락한다 해도 우리 중 하나는 그 세계를 다시 세울 수 있다. 산과 강, 나무와 잎, 뿌리와 꽃, 자연의 모든 영상이 우리 마음속에 미리 만들어져 있어 영혼에서 나오기 때문이다. 영혼의 본질은 영원이며, 그 본질을 우리는 알 수 없다. 그러나 그 본질은 대개 우리가 사랑의 힘과 창조력으로 느낄 수 있도록 주어진다.

몇 해가 지나서야 나는 어느 책에서 이 관찰을 뒷받침할 여러 근거들을 발견했다. 즉 많은 사람들이 침을 뱉어 놓은 담벼락을 바라보는 것이 얼마나 훌륭하고 깊은 자극을 주는지에 대해서 언젠가 이야기한 레오나르도 다빈치, 축축한 담벼락에 있는 그 얼룩들 앞에서 그는 피스토리우스와 내가 불 앞에서 느낀 것과 똑같은 것을 느꼈다. 우리가 다음번에 함께 있게 되었을 때 그 오르간 연주자는 설명했다.

"우리는 우리의 개성의 경계를 늘 너무나도 좁게 그어! 우리는 늘 우리가 개인적이라고 구분해 놓은 것, 상이하다고 인식하는 것만 개성이라고 생각해. 그러나 우리는 세계의 총체로 이루어져 있어. 우리 하나하나가 말이야. 그리고 우리 몸이 진화의 계보를 물고기에 이르고 훨씬 더 멀리까지 자신 안에 지니고 있는 것과 똑같이 우리 영혼도 일찍이 인간 영혼들 속에 살았던 모든 것을 지니고 있지. 그리스인들이나 중국인들에게서든 아프리카 종족에게서든 일찍이 존재했던 모든 신과 악마가 우리 속에 있어. 거기 있는 거야. 가능성으로, 소망으로, 탈출구로. 인류가 멸종하고, 아무런 교육도 받지 않았지만 상당한 재능을 지닌 어린아이 하나만 남는다면 이 아이는 사물들의 전체 과정을 다시 찾아낼 거야. 그 애가 신이 되어 수호신, 낙원, 계율과 금기, 신약과 구약 모든 것이 다시 만들어질 수 있을 거야."

"좋습니다." 내가 이의를 제기했다. "하지만 그렇다면 개인의 가치는 어디에 있는 겁니까? 우리가 모든 것을 우리 속에 이미 완성된 상태로 가지고 있다면 왜 우리는 아직도 애써 나아가는 거지요?"

"그만!" 피스토리우스가 격하게 외쳤다. "세계를 그냥 자기 속에 지니고 있느냐 아니면 그것을 알기도 하느냐 하는 게 큰 차이지. 미친 사람이 플라톤을 연상시키는 생각을 내놓을 수 있고, 헤른후트파 학교의 신앙심 깊은 조그만 학생이 영지(靈知)파나 조로아스터에게서 나타나는 심오한 신화적 연관을 창조적으로 숙고할 수도 있어. 그러나 그들은 세계가 자기 안에 있다는 사실은 몰라. 한 그루 나무거나 돌인 거지, 기껏해야 동물이고. 그 사실을 모르는 한 말이야. 그러나 이런 인식의 첫 불꽃이 희미하게 밝혀질 때, 그때 그는 인간이 되지. 자네는 그렇다고 모두를, 저기 거리를 걸어 다니는 두 발 달린 동물 모두를, 그들이 똑바로 걷고 새끼를 아홉 달 배 속에 품고 있다고 해서 인간이라고 여기지는 않겠지? 그들 중 얼마나 많은 사람이 물고기거나 양, 버러지거나 거머리인 줄은 알겠지. 얼마나 많은 사람이 개미인지, 얼마나 많은 사람이 벌인지! 자아, 그들 하나하나 속에 인간이 될 가능성이 있지. 그러나 각자가 그 가능성들을 예감함으로써, 부분적으로는 심지어 그것들을 의식하는 것을 배움으로써 비로소 그 가능성들은 자기 것이 된다네."

우리의 대화는 대략 이런 식이었다. 대화에서 완전히 새로운 것, 전적으로 놀라운 것이 나오는 일은 드물었다. 그러나 모든 대화가, 가장 진부한 대화마저도 나직하고 꾸준한 망치

질로 내 마음속의 한 점을 계속 두드렸다. 모든 대화가 나의 형성에 도움이 되었다. 모든 대화가 내 허물을 벗는 일에, 알껍데기를 부수는 일에 도움이 되었다. 그리고 한 번 한 번의 대화에서 짓부서진 세계의 껍데기를 뚫고 마침내 나의 노란색 새가 머리를 조금 더 높이, 조금 더 자유롭게 쳐들어 그 아름다운 맹금의 머리를 불쑥 내밀었다.

빈번히 우리는 서로의 꿈에 대해 이야기했다. 피스토리우스는 꿈 풀이를 할 줄 알았다. 놀라운 예 한 가지가 아직도 기억에 남아 있다. 내가 날 수 있는 꿈을 꾸었다. 나는 알 수 없는 힘에 의해서 어느 정도 큰 도약으로 대기를 가르고 내던져졌다. 이 비상의 느낌이 기운을 북돋았으나, 내가 의지와 상관없이 위태로운 고공을 핵핵 날게 되자 곧 두려움으로 변했다. 그러나 호흡을 멈추었다가 한꺼번에 힘껏 토하는 식으로 상승과 하강을 조절할 수 있다는 구원 같은 발견을 했다.

그 꿈에 대해 피스토리우스가 말했다. "자네를 날게 만든 도약, 그것은 누구나 가지고 있는 우리 위대한 인류의 재산이지. 그것은 모든 힘의 뿌리와 연결되어 있다는 느낌이야. 그러나 그것이 곧 두려워져! 그것은 빌어먹게 위험하지! 그래서 대부분의 사람들은 저렇듯 차라리 날기를 포기하고 법 규정에 따라 인도(人道) 위를 걷는 쪽을 택하지. 그런데 자네는 그러지 않아. 자네는 계속 날고 있어. 유능한 젊은이에게 합당하게 말이야. 그리고 보게, 자네는 놀라운 것을 발견해. 자네가 점차 그 주인이 되는 것을 말이야. 자네를 계속 낚아채 가는 커다랗고 알 수 없는 보편적 힘에 하나의 섬세하고 작은 자신의 힘이 더해지는 것을 발견해. 하나의 기관, 하나의 방향키 말일세! 이건 대단한 거야. 그것이 없다면 그냥 공중에 떠 있을 테지, 미친 사람들이 그러듯이 말이야. 자네에게는 인도를 걸어 다니는 사람들에게보다 더 깊은 예감이 주어졌어. 그러나 거기에 맞는 열쇠와 방향키가 없어. 바닥 없는 곳으로 쏴악 빨려들고 있지. 그러나 자네는 말이야, 싱클레어, 자네는 그 일을 하고 있어! 그런데 어떻게 그러냐고? 자네는 아직 전혀 모르겠지. 자네는 그것을 새로운 기관, 즉 호흡 조절기로 하고 있어. 이제 자네의 영혼이 근본에 있어서 얼마나 '개인적'이지 못한가를 알 수 있을 거야, 이런 조절기를 고안해 낸 게 자네 영혼은 아니니까 말이야. 조절기란 새로운 게 아니야! 그것은 일종의 차용이지. 수천 년 전부터 존재하는 거야. 그것은 물고기의 평형 기관인 부레이지. 실제로 부레가 동시에 허파여서 상황에 따라서는 정말로 숨 쉬는 데 부레를 이용하는, 진화가 덜 된 희귀한 물고기 몇 종류가 오늘날에도 있지. 그러니까 자네가 꿈에서 날 때 비행용 기포로 사용한 허파와 한 치도 어긋나지 않고 똑같이 말이야!"

그는 나에게 동물학 책까지 한 권 가져와 진화가 덜 된 그 물고기들의 이름과 도판도 보여 주었다. 나는 마음속에서 한 가닥 특이한 전율을 느끼며 진화의 초기 단계에서 나온 한 가지 기능을 생생하게 느꼈다.

# 야곱의 싸움

특이한 음악가 피스토리우스로부터 아브락사스에 대해 들은 것을 짧게 다시 들려줄 수 없지만 그에게 배운 가장 중요한 것은 나 자신에게로 가는 길 위의 또 한 걸음이었다. 나는 당시에 열여덟 살의 평범치 않은 젊은이였다. 수백 가지 일에서 조숙하고, 다른 수백 가지 일에서 몹시 뒤처지고 무력했다. 때때로 다른 사람들과 자신을 비교하면 자주 우쭐하고 교만해졌으나, 꼭 그만큼 자주 의기소침해하고 굴욕스러워했다. 어떤 때는 자신을 천재로 생각하는가 하면 어떤 때는 절반쯤 돌았다고 생각했다. 또래들의 기쁨과 생활을 같이할 수 없었고, 자주 비난과 근심으로 자신을 소모했다. 마치 내가 절망적으로 그들로부터 떨어져 있기라도 하듯이, 마치 삶이 내게 닫혀 있기라도 하듯이.

그 자신이 성숙한 괴짜였던 피스토리우스는 내게 용기와

스스로에 대한 존경을 간직하는 법을 가르쳤다. 그는 내가 한 말들, 내가 꾼 꿈들, 나의 환상과 생각에서 늘 가치 있는 것을 찾아내고, 그것들을 언제나 중요하게 받아들이고 진지하게 논평하면서 나에게 예를 제시했다.

그가 말했다. "나한테 이야기했지. 음악을 사랑하는 건 음악이 도덕적이지 않기 때문이라고. 나야 아무래도 괜찮아. 하지만 자네 자신이 도덕주의자가 아니기도 해야지! 자신을 남들과 비교해서는 안 돼. 자연이 자네를 박쥐로 만들어 놓았다면, 자신을 타조로 만들려고 해서는 안 돼. 더러 자신을 특별하다고 생각하고, 대부분의 사람들과는 다른 길을 가고 있다고 자신을 나무라지. 그런 나무람을 그만두어야 하네. 불을 들여다보고 구름을 바라보게. 예감들이 떠오르고 자네 영혼 속에서 목소리들이 말하기 시작하거든 곧바로 자신을 그 목소리에 맡기고 묻지는 마. 그것이 선생님이나 아버지 혹은 그 어떤 하느님의 마음에 들까 하고 말이야. 그런 물음이 자신을 망치는 거야. 그런 물음들 때문에 인도(人道)로 올라서고 화석이 되어 가는 거지. 이봐, 싱클레어, 우리의 신은 아브락사스야. 그런데 그는 신이면서 사탄이지. 그 안에 환한 세계와 어두운 세계를 가지고 있어. 아브락사스는 자네의 어떤 생각에도, 어떤 꿈에도 이의를 제기하지 않아. 결코 잊지 말게. 하지만 자네가 언젠가 나무랄 데 없이 정상적인 인간이 되어 버릴 때, 그때는 아브락사스가 자네를 떠나. 그때는 자신의 사상을 담아 끓일 새로운 냄비를 찾아 그가 자네를 떠난다네."

내 모든 꿈들 가운데서 저 어두운 사랑의 꿈이 가장 끈질

기게 이어졌다. 자주, 자주 나는 그 꿈을 꾸었다. 문장의 새 밑을 지나 오래된 우리 집 안으로 들어섰다. 어머니를 포옹하려 했는데, 어머니 대신 키가 크고 절반은 남자이고 절반은 어머니인 여자를 안았다. 그녀가 무서웠는데도 불타는 욕망이 나를 그녀에게로 끌었다. 그런데 이 꿈은 내 친구에게 결코 이야기할 수 없었다. 다른 모든 것을 그에게 열어 보이고 나서도 이 꿈만은 간직해 두었다. 그것은 나만의 모퉁이, 나의 비밀, 피난처였다.

마음이 짓눌릴 때면 피스토리우스에게 전에 들은 북스테후데의 파사칼리아를 연주해 달라고 청했다. 그럴 때면 어두운 저녁 교회 안에서 나는 그 자체에 몰두하고, 그 자체에 귀 기울이는 이 기이하고 내밀한 음악에 몰입하여 앉아 있었다. 그 음악은 번번이 기분 좋았고 나로 하여금 더욱더 영혼의 목소리들을 인정할 준비가 되도록 도와주었다.

때로 우리는 오르간 소리가 잦아들고 나서도 한동안 그대로 교회에 앉아 희미한 빛이 뾰족한 아치형의 높은 창문을 통해 비쳐 들다가 가물가물 사라지는 모습을 바라보았다.

"우습게 들리겠지." 피스토리우스가 말했다. "내가 한때 신학도였고 목사까지 될 뻔했다는 게 말이야. 그러나 내가 당시에 저지른 것은 형식상의 오류였을 뿐이야. 사제라는 것, 그건 아직도 내 직업이자 목표이지. 다만 난 너무 일찍 만족했고 나를 마음대로 쓰시도록 여호와에게 맡겼지. 아브락사스를 알기 전이었어. 아, 어느 종교든 좋아. 종교는 영혼이야. 기독교적 성찬을 들든지 메카로 순례를 가든지 마찬가지야."

"그렇다면 정말 목사가 되실 수도 있었겠네요." 내가 말했다.

"아니, 싱클레어, 아니야. 난 거짓말을 해야만 했어. 우리의 종교는 마치 그것이 종교가 아닌 것처럼 훈련받아. 종교가 인간 오성의 산물인 듯 취급되지. 가톨릭은 급하면 아쉬운 대로 괜찮을지도 몰라. 하지만 신교 목사, 아니! 진짜 신자들, 그런 사람들을 몇 명 아는데, 그들은 성경의 자자구구에 매달리지. 그 사람들한테 그리스도는 나에게 그냥 인물이 아니라 하나의 영웅, 하나의 신화라고, 엄청난 그림자상(像)이라고 말할 수 없어. 그 그림자 안에서 인류는 스스로의 모습이 영원의 벽에 그려진 것을 보는데 말이야. 그리고 다른 사람들, 똑똑한 말 한마디를 들으려고, 한 가지 의무를 완수하려고, 아무것도 놓치지 않으려고 등등의 이유로 교회에 가는 사람들, 그들에게 내가 무슨 말을 할 수 있었을까? 그들을 개종시켜야 하나? 하지만 그건 전혀 내 뜻이 아니야. 사제란 개종시키려 하지 않아. 다만 신자들 가운데서, 자기와 비슷한 사람들 안에서 살려고 하지. 그리고 우리가 우리의 신을 만들어 내는 감정의 보유자이자 표현이고자 하는 거야."

거기서 그가 말을 뚝 끊었다. 그러더니 다시 계속했다. "우리가 지금 아브락사스라는 이름으로 부르는 우리의 새로운 신앙은 좋은 거야, 우리가 가지고 있는 최상의 것이라네. 그러나 그는 아직 젖먹이지! 아직 날개가 돋아나지 않았어. 아, 외로운 종교, 그건 아직 진정한 종교가 아니야. 그것은 공통의 것이 되어야 해. 예배와 도취, 축제와 비밀 의식(儀式)을 가져야 해……"

그는 생각하며 자신 속으로 침잠했다.

"비밀 의식이라면야 혼자서도 혹은 아주 작은 범위 안에서도 행할 수 있지 않나요?" 내가 망설이며 물었다.

"할 수야 있지." 그가 고개를 끄덕였다. "나는 벌써 오래 그렇게 해 오고 있어. 예배를 드렸지. 만약 사람들이 알게 된다면 그것 때문에 여러 해를 교도소에 박혀 있어야 할지도 모를 예배이지. 알아. 이 예배는 아직은 옳은 것이 아니야."

갑자기 그가 내 어깨를 쳤다. 나는 움칫 몸을 오그렸다. "이봐." 그가 집요하게 말했다. "자네도 비밀 의식을 가지고 있군. 자네는 틀림없이 나한테 이야기하지 않은 꿈을 꿀 거야. 알 생각은 없네. 그러나 말해 두겠는데, 그것을, 그 꿈들을 그대로 살게, 그것을 유희하게, 그것에 제단을 세워 주게! 그것은 아직 완전하지는 않지만, 하나의 길이야. 우리가, 자네와 나 그리고 몇몇 다른 사람들이 세계를 한번 새롭게 개혁할지 그러지 못할지야 두고 봐야지. 그러나 저 안쪽 우리 마음속에서 우리는 그것을 날마다 새롭게 해야 하네. 그러지 않으면 우리는 아무것도 아니야. 그걸 생각해 보게! 자넨 열여덟 살이네, 싱클레어. 길거리 창녀한테로 달려가지 말고 사랑의 꿈, 사랑의 소망을 가져야 하네. 어쩌면 그 꿈들은 자네가 무서워하는 종류겠지. 무서워하지 말게! 그것들은 자네가 지닌 최상의 것이야. 나를 믿어도 되네. 나는 꿈을 많이 잃어버렸어. 자네 나이에 사랑의 꿈들을 능욕했지. 그래서는 안 되는데. 아브락사스를 알면 더 이상 그래서는 안 돼. 아무것도 무서워해서는 안 되고 영혼이 우리 마음속에서 소망하는 그 무엇도 금지되었다고

해서는 안 되지.”

내가 놀라서 이의를 말했다. “그러나 생각나는 모든 것을 행동으로 옮길 수는 없잖아요! 어떤 사람이 마음에 들지 않는다고 죽여서는 안 되잖아요.”

그가 나에게 다가왔다.

“상황에 따라서는 죽여도 돼. 다만 죽이는 건 대체로 오류지. 머리를 스친 모든 생각을 그냥 행동으로 옮기라는 게 아닐세. 다만 좋은 뜻을 가진 착상들을 몰아내고 그걸 이리저리 도덕화해서 해롭게 만들지 말라는 걸세. 자신이나 다른 사람을 십자가에 못 박는 대신 장엄한 사상의 잔으로 술을 마시면서 비밀스러운 희생 의식 생각을 할 수 있지. 그런 것도 모두 나름의 의미가 있거든. 다시 한번 무언가 정말 근사한 생각 혹은 죄 많은 생각이 떠오르거든 싱클레어, 누군가를 죽이거나 어떤 어마어마하게 불결한 짓을 저지르고 싶거든 한순간 생각하게. 그렇게 자네 속에서 상상의 날개를 펴는 건 아브락사스임을! 자네가 죽이고 싶어 하는 인간은 결코 아무개 씨가 아닐세. 그 사람은 분명 하나의 위장에 불과하네. 우리가 어떤 사람을 미워한다면 우리는 그의 모습에서 바로 우리 자신 속에 들어앉아 있는 무언가를 보고 미워하는 거지. 우리 자신 속에 있지 않은 것, 그건 우리를 자극하지 않아.”

피스토리우스가 가장 은밀한 부분에서 내게 그토록 깊이 명중하는 말을 한 적이 전에는 한 번도 없었다. 나는 대답을 할 수 없었다. 그러나 가장 강하게 그리고 가장 특별하게 내 마음에 와닿은 것은 이 위로가, 내가 여러 해 전부터 마음속에 지니고 있던 데미안의 말과 울림이 같다는 사실이었다. 피스토리우스와 데미안은 서로에 대해서 아무것도 모르는데, 둘이 나에게 똑같은 말을 한 것이다.

피스토리우스가 나직이 말했다. "우리가 보는 사물들은 우리 마음속에 있는 것과 똑같은 사물들이지. 우리가 우리 마음속에 가지고 있지 않은 현실이란 없어. 그렇기 때문에 대부분의 사람들이 그토록 비현실적으로 사는 거지. 그들이 바깥에 있는 물상들만 현실로 생각해서 마음속에 있는 그들 자신의 세계가 전혀 발언되지 못하게 하기 때문이야. 그러면서 행복할 수는 있겠지. 그러나 일단 다른 것을 알면 그때부터는 대부분의 사람들이 가는 길을 가겠다는 선택이란 없어져 버리지. 싱클레어, 대부분의 사람들이 가는 길은 쉬워. 우리의 길은 어렵고. 우리 함께 가 보세."

며칠 뒤, 두 차례 그를 기다렸으나 허탕을 친 다음 저녁 늦게 길거리에서 그와 마주쳤다. 추운 밤바람 속에서 그는 외롭게 모퉁이를 돌아 바람에 불려 왔다. 비틀거리며 완전히 취해서. 나는 그를 부르고 싶지 않았다. 그는 나를 보지 못한 채 내 곁을 스쳐 지나갔다. 마치 알 수 없는 것으로부터 오는 어두운 외침을 따르기라도 하듯 이글이글 타는 외로워진 눈으로 앞을 응시하고 있었다. 나는 길 하나가 끝날 때까지 그를 뒤따라갔다. 그는 마치 보이지 않는 철사에 매여 당겨지는 듯 끌려갔다. 열광적으로, 그렇지만 흐트러진 걸음걸이로 마치 유령처럼. 슬퍼져서 나는 집으로, 구제받지 못한 나의 꿈들로 돌아갔다.

'저렇게 그는 이제 자기 속의 세계를 새롭게 하고 있구나!' 나는 생각했으며 같은 순간에 그것은 저열하며 도덕적인 발상이라고 느꼈다. 그의 꿈에 대해 내가 무얼 안단 말인가? 그는 어쩌면 그렇게 술에 취해서, 불안에 휩싸인 나보다 오히려 더 안전한 길을 갔을 것이다.

수업 시간 사이 쉬는 시간에 이따금씩 내가 한 번도 주의한 적 없었던 급우가 내게 가까이 오려고 애쓰고 있는 것이 눈에 띄었다. 작고 허약해 보이는 가냘픈 젊은이로, 붉은빛 도는 숱 적은 머리에 행동에는 무언가 나름의 것이 있는 친구였다. 어느 저녁 내가 집으로 갈 때 그가 골목길에서 지켜보고 있다가 내가 자기를 지나쳐 가게 놔두더니 다시 뒤쫓아 와서 우리 집 현관문 앞에 서서 머물러 있었다.

"너 나한테 뭐 할 말이 있니?" 내가 물었더니 그가 수줍게 말했다.

"그냥 너하고 한번 이야기를 나누고 싶었어. 몇 걸음만 함께 걷자."

나는 그를 따라 걸었는데, 그가 몹시 상기되고 기대감으로 가득 차 있는 것이 느껴졌다. 그의 두 손이 떨렸다.

"넌 심령술을 하니?" 그가 난데없이 불쑥 물었다.

"아니야, 크나우어." 내가 웃으며 말했다. "전혀 아니야. 어떻게 그런 생각을 했지?"

"그럼 접신을 하니?"

"그것도 아니야."

"아, 그렇게 숨기지 마! 너한테는 뭔가 특별한 것이 있다는 걸 나는 아주 잘 느끼고 있어. 넌 그것을 눈에 담고 있어. 네가 영(靈)들과 교류한다는 걸 확실하게 믿어. 호기심에서 묻는 게 아니야, 싱클레어. 아니야! 나 자신이 구도자거든. 그리고 난 너무도 외로워."

"이야기해 봐!" 내가 그를 격려했다. "난 영들에 대해서는 전혀 모르지만, 내 꿈속에서 살고 있어. 네가 그걸 감지했구나. 다른 사람들도 꿈속에서 살아. 그러나 자기 자신의 꿈속이 아니야. 그게 차이지."

"그래, 어쩌면 그럴지도 모르겠다." 그 애가 나직이 말했다. "어떤 종류의 꿈속에서 사느냐 하는 것만 문제라는 거지. 백주술(白呪術)이라는 말 들어 본 적 있니?"

나는 아니라고 해야 했다.

"그건 자기 자신을 지배하는 법을 배우는 거라더라. 죽지 않을 수 있고 요술도 할 수 있다는데. 너 그런 연습 한 번도 안 해 봤어?"

그 연습에 대해 호기심 어린 질문을 하자 그가 처음에는 뭔지 숨기는 듯 알 수 없이 굴어서 마침내 나는 가려고 몸을 돌렸다. 그러자 그가 주섬주섬 털어놓기 시작했다.

"예를 들면 잠들고자 하거나 집중하고자 할 때 나는 그런 연습을 해. 무언가를, 예를 들면 단어 하나 혹은 이름 하나 혹은 기하학 도형 하나를 생각해. 그다음에는 그것들을 생각하면서 몸속으로 집어넣어. 할 수 있는 한 한껏 집중해서 그것들이 내 안에, 내 머릿속에 있다고 상상해 보려 해. 마침내 내 몸속에 있다는 느낌이 올 때까지. 그런 다음 그것이 목에 걸렸다고 생각하지. 그런 식으로 마침내 내 몸이 완전히 그것으로 가득 찰 때까지 생각해. 그다음에는 완전히 확고해지지. 그러면 그때부터는 그 무엇도 나를 안정에서 벗어나게 하지 못하지."

그가 무슨 생각을 하는지 어느 정도는 이해가 되었다. 그렇지만 그가 정작 하고 싶어 하는 말은 다른 것임이 잘 느껴졌다. 그는 기이하게 흥분해 있고 조급했다. 나는 그의 질문을 가볍게 해 주려고 했다. 그러자 곧 그가 자기 자신의 고유한 관심사를 내놓았다.

"너도 금욕을 하지?" 그가 불안스럽게 물어 왔다.

"무슨 뜻이지? 성(性) 문제 말인가?"

"그래, 그래. 나는 지금 이 년째 금욕을 하고 있어, 그 학설에 대해 안 다음부터. 그전에는 죄를 지었더랬어. 너도 벌써 알겠지만. 너는 그러니까 여자하고 잔 적이 없지?"

"없는데." 내가 말했다. "그럴 상대를 못 찾았어."

"그러나 만약 마음에 드는 여자를 찾아내고 맞는 상대라면, 그렇다면 그 여자하고 자겠구나?"

"그래, 물론이야. 그 여자가 반대하지 않는다면 말이야." 내가 약간 비꼬듯 말했다.

"오, 그 점에서 길을 잘못 들어선 거야! 내면의 힘은 완전히 금욕할 때에만 키울 수 있어. 나는 그렇게 했어. 이 년 동안. 이 년하고도 한 달 조금 더 됐지! 그건 참 힘들어! 어떤 때는 거의 견딜 수 없을 정도야."

"이봐, 크나우어. 난 금욕이 그렇게 대단히 중요하다고 생각하지 않아."

"나도 알아." 그가 방어적으로 말했다. "다들 그렇게 말하지. 그래도 너는 그러지 않을 줄 알았어. 좀 더 높은 정신적인 길을 가는 사람은 늘 몸이 정결해야 해, 반드시!"

"그래, 그래, 그렇다면 그렇게 해! 하지만 난 이해하지 못하겠어. 자신의 성을 억누르는 사람이 왜 다른 사람보다 '더 정결'하다는 건지. 아니면 너는 성을 모든 생각과 꿈에서도 배제할 수 있다는 거니?"

그가 절망적으로 나를 바라보았다.

"아니야, 그런 게 아니야! 하느님 맙소사, 그렇지만 그래야만 해. 나는 밤에 꿈을 꿔, 나 자신한테조차 이야기할 수 없는 꿈을 꾸는걸! 무서운 꿈이라고!"

나는 피스토리우스가 했던 말을 기억했다. 그의 말이 참으로 옳다는 것을 느끼면서도 그 말을 그대로 전할 수는 없었다. 나 자신의 체험에서 나온 것이 아니며, 그것을 따르기에 나 자신이 아직 성숙하지 못했다고 느끼는 충고를 남에게 해 줄 수는 없었다. 나는 입을 다물었다. 누군가가 나에게 충고를 구했는데, 해 줄 말이 전혀 없다는 사실이 굴욕적이었다.

"나는 별별 시도를 다 해 봤어!" 크나우어가 내 옆에서 탄식했다. "할 수 있는 건 다 해 봤어. 찬물도 뒤집어써 보고 눈 속에도 있어 보고 체조도 해 보고 달리기도 해 보고. 그러나 다 아무 소용 없었어. 밤마다 생각도 해선 안 되는 꿈을 꾸다가 화들짝 깨어나곤 해. 끔찍한 건 그러다 보니 내가 그동안

정신적으로 배운 모든 것이 내게서 차츰 다시 없어진다는 거야. 그리고 나면 그때부터는 아무리 해도 집중하거나 잠들 수 없어. 자주 누워서 밤을 꼬박 새워. 그걸 결코 오래 견뎌 내지 못하겠어. 마침내 내가 그 싸움을 해낼 수 없으면, 항복하고 다시 자신을 더럽히면 그다음에 나는 한 번도 싸워 본 적 없는 다른 모든 사람들보다 더 나쁜 거야. 이해하겠니?"

나는 끄덕였지만 해 줄 말이 없었다. 그가 지루해지기 시작했고, 그가 공공연하게 드러낸 괴로움과 절망이 나에게 그다지 깊은 인상을 남기지 못하는 것에 내심 놀랐다. 나의 느낌은 다만 '난 너를 도울 수 없어.'라는 것이었다.

그가 마침내 기진맥진하여 슬프게 말했다. "그러니까 넌 전혀 모르는 거지? 전혀 모르겠다고? 그래도 분명히 뭔가 길이 있을 거야! 넌 대체 어떻게 하지?"

"말해 줄 수 있는 게 아무것도 없구나, 크나우어. 사람들은 그런 일에서는 서로 도울 수 없어. 나를 도와준 사람도 아무도 없었어. 너 스스로 생각해 내려고 애써야 해, 그러고는 정말로 네 본질로부터 나오는 것, 그걸 하면 돼. 다른 길은 존재하지 않아. 네가 너 자신을 찾아낼 수 없으면 다른 영(靈)들도 찾아낼 수 없을 거야."

그 작은 녀석이 실망하여 갑자기 말을 뚝 끊더니 나를 물끄러미 바라보았다. 그러더니 그의 시선이 갑작스러운 증오의 빛을 띠며 이글이글 타올랐다. 그가 나에게 얼굴을 찡그리더니 화를 내며 소리쳤다. "아, 너야 멋진 성인이시지! 너도 죄를 짓겠지, 알아! 너는 마치 현인처럼 굴면서 남몰래 나나 다른 사람들과 똑같이 더러운 것에 매달리는 거지! 넌 돼지야, 돼지, 나와 마찬가지로. 우리는 모두 돼지야!"

나는 그를 그곳에 남겨 둔 채 떠났다. 그가 두세 걸음 나를 따라오더니 그다음에는 그대로 멈추었다가 몸을 돌려 달아났다. 연민과 혐오의 느낌으로 속이 메슥거렸다. 마침내 집에 와 내 작은 방에서 내 그림 몇 개를 주위에 둘러 세우고 더없이 간절한 마음으로 나 자신의 꿈들에 열중했을 때에야 비로소 그 느낌에서 벗어날 수 있었다. 그러자 곧 나의 꿈이 다시 떠올랐다. 현관문과 문장에 대한, 어머니와 낯선 여성에 대한 것이었다. 그 여성의 표정이 어찌나 또렷하게 보이는지 그날 저녁에 그녀의 모습을 그리기 시작했다.

며칠 뒤 스케치가 완성되자 의식을 잃은 듯 몽환적인 상태에서 칠까지 하여 저녁에 벽에 걸고, 독서 등을 그 앞으로 밀어 놓고는 결판이 나도록 싸워야 하는 신 앞에 선 듯 그 앞에 서 있었다. 그것은 얼굴이었다. 전의 것과 비슷하고, 내 친구 데미안과 비슷하고, 몇몇 표정에서는 나 자신과도 비슷했다. 한 눈이 다른 눈보다 눈에 띄게 높이 달려 있고, 시선은 침잠해 응결되고 운명으로 가득한 채 나를 넘어 어딘가로 향해 있었다.

그림 앞에 서서 나는 내적인 긴장으로 가슴속까지 써늘했다. 나는 그 그림에게 물었다. 그림을 비난했다. 그림을 애무했다. 그림에게 기도했다. 나는 그 그림을 어머니라고 불렀다. 연인이라고 불렀다. 창녀이고 매춘부라고 불렀다. 아브락사스라고 불렀다. 그러는 사이 피스토리우스의 말이(아니면 데미안의 말이었을까?) 떠올랐다. 언제 그 말을 들었는지는 기억할 수 없었다. 그러나 다시 들리는 것 같았다. 그것은 야곱과 천사의 싸움에 대한 말이었다. "나에게 축복을 내리지 않으면 보내지 않겠다."라는 말.

그려진 얼굴은 등불의 빛 속에서 그때그때의 간청에 따라 변했다. 환하게 밝아지다가 까맣게 어두워지고, 꺼져 가는 눈 위로 파리한 눈꺼풀을 감다가는 다시 떠 이글거리는 시선으로 쏘아보았다. 그것은 여자였다. 남자였다. 소녀였다. 어린아이였다. 동물이었다. 얼룩 한 점으로 흐릿해졌다가 다시 크고 뚜렷해졌다. 끝에 가서 나는 마음속에서 들리는 뚜렷한 부름을 따르며 눈을 감았고, 이제 그 그림을 내 마음 안에서 보았다. 더욱 강하게, 더욱 힘 있게. 나는 그림 앞에 무릎을 꿇으려 했다. 그러나 그림이 어찌나 내 안으로 들어가 버렸는지 그것을 나 자신과 갈라놓을 수 없었다. 마치 그림이 온통 나 자신이 되어 버린 듯이.

그때 마치 봄의 폭풍인 듯 어둡고 무거운 포효 소리가 들렸다. 나는 불안과 체험의 형언할 수 없이 새로운 느낌에 휩싸여 몸을 떨었다. 별들이 내 앞에서 번쩍거리다가 꺼졌다. 최초의, 아주 잊힌 유년으로까지, 실로 전생과 생성의 초기 단계까지 이르는 기억들이 나를 스쳐 콸콸 흘러갔다. 나의 온 생애를 가장 비밀스러운 것까지 되풀이하는 듯한 기억들은 어제오늘로 그치지 않았다. 계속 나아가 미래를 비추었고, 나를 오늘로부터 낚아채 새로운 삶의 형식들 속으로 넣었다. 그 새로운 삶의 영상들은 엄청나게 환하고 눈부셨으나 그중 어느 것도 나중에는 제대로 기억할 수 없었다.

밤에 깊은 잠에서 깨어나 보니 나는 옷을 입은 채로 침대에 비스듬히 걸쳐 누워 있었다. 불을 켰다. 무언가 중요한 것을 생각해 내야만 할 것 같은 느낌이었다. 몇 시간 전의 일을 아무것도 알 수 없었다. 불을 켰다. 차츰 기억이 돌아왔다. 나는 그림을 찾았다. 그림이 이제는 벽에 걸려 있지 않았다. 책상 위에 놓여 있지도 않았다. 확실치 않았지만 내가 그것을 불태워 버린 것 같기도 했다. 아니면 내가 그것을 내 손으로 불태우고 재를 먹어 버린 것이 꿈이었을까?

몸이 푸들푸들 떨리는 큰 불안이 나를 몰아댔다. 나는 어떤 강압을 받는 듯이 모자를 쓰고 집과 골목을 지나쳤다. 폭풍에 불려 가듯 거리와 광장들을 빠른 걸음으로 내처 걸었다. 내 친구의 어두운 교회 앞에서 귀를 기울였고, 어두운 충동에 휩싸여 무엇을 찾는지도 모르는 채 찾고 또 찾았다. 사창가가 있는 교외를 지나갔다. 그곳은 여기저기 아직 불이 켜져 있었다. 더 먼 곳에는 공사 중인 건물들과 기왓장 더미가 있고, 일부는 충충한 눈으로 덮여 있었다. 몽유병자처럼 알 수 없는 힘에 눌려 이 황량한 곳을 헤매다 보니 언젠가 나의 고문자 크로머가 처음으로 계산을 하자고 나를 끌고 갔던 고향 도시의 공사장이 생각났다. 비슷한 공사장이 잿빛 어둠 속에서 내 앞에 있고, 검은 문구멍들이 내 앞에서 입을 벌리고 있었다. 그것이 나를 안으로 끌었다. 물러서려다가 모래와 허섭스레기에 걸려 비틀거렸다. 충동 쪽이 더 강했다. 나는 들어가야 했다.

판자와 짓부서진 벽돌들 너머로 나는 비틀비틀 그 황량한 공간 속으로 들어갔다. 축축한 냉기와 돌 냄새가 희미하게 났다. 모래 더미가, 좀 밝은 잿빛인 지점이 한 군데 있었다. 그 밖에는 온통 캄캄했다.

거기서 놀란 목소리가 나를 불렀다. "맙소사, 싱클레어, 어디서 내게로 온 거야?"

그러면서 내 옆 어둠 속에서 사람 하나가, 작고 마른 사내가 유령처럼 몸을 일으켰다. 나는 머리카락이 곤두설 정도로 놀랐지만 그것이 내 학우 크나우어임을 알아보았다.

"어떻게 여기로 온 거야?" 흥분으로 제정신이 아닌 듯 그가 물었다. "어떻게 나를 찾아낼 수 있었지?"

나는 무슨 소리인지 알 수 없었다.

"난 너를 찾지 않았어." 내가 당황하여 말했다. 한마디 한마디가 힘들어 그 말은 얼어붙은 듯 무겁고 죽은 입술 사이로 가까스로 나왔다.

그가 나를 응시했다.

"찾지 않았다고?"

"찾지 않았어. 이끌려 온 거야. 네가 나를 불렀니? 네가 나를 부른 게 틀림없어. 너 여기서 대체 뭘 했어? 밤인데."

그가 가는 두 팔로 나를 으스러져라 껴안았다.

"그래, 밤이야. 머지않아 틀림없이 아침이 될 테고. 오, 싱클레어, 네가 나를 잊지 않았다니! 날 용서할 수 있겠니?"

"대체 뭘 용서하지?"

"아, 내가 그렇게 추하게 굴었잖아!"

비로소 우리가 나누었던 대화가 기억났다. 사나흘 전이었던가? 나에게는 그때 이후 한평생이 지나간 것만 같았다. 그러나 그 순간 나는 갑자기 모든 것을 알았다. 우리 사이에 무슨 일이 있었던가뿐만 아니라 왜 내가 이리로 오게 되었으며 크나우어가 이곳에서 무엇을 하려 했던가도.

"너 그러니까 죽으려 했구나, 크나우어?"

그가 추위와 두려움으로 몸을 덜덜 떨었다.

"그래, 그러려고 했어. 그럴 수 있었을지 없었을지는 모르겠어. 아침이 될 때까지 기다릴 생각이었어."

나는 그를 바깥으로 끌고 나갔다. 수평의 첫 새벽빛이 잿빛 공중에서 말할 수 없이 차갑고 냉담하게 어렴풋이 빛나고 있었다.

나는 얼마간 더 그의 팔을 잡고 데리고 갔다. 나에게서 말이 나왔다. "이제 집으로 가, 그리고 아무한테도 아무 말도 하지 마! 넌 길을 잘못 들어 헤맸던 거야. 그냥 길을 잘못 들었던 거라고! 그리고 우린 네 생각처럼 돼지가 아니야. 우린 인간이야. 우린 신을 만들고 신들과 싸우지. 그러면 신들이 우리를 축복해."

우리는 말없이 더 걷다가 헤어졌다. 집으로 돌아가자 날이 완전히 밝아 있었다.


그 시절 장크트○○시에서 내게 주어진 최고의 것은 피스토리우스와 오르간 옆에 혹은 벽난로 앞에 서 있는 시간이었다. 우리는 아브락사스에 대한 그리스어로 된 글을 함께 읽었다. 그가 베다경의 번역을 부분부분 읽어 주었고 나에게 신성한 '옴(Om)'을 말하는 법을 가르쳐 주었다. 그사이 나를 내면적으로 키워 준 것은 학식이 아니라 오히려 그 반대였다. 기분 좋았던 것은 나 자신 속에서 앞으로 나아가는 것이었다. 나 자신의 꿈, 생각, 예감에 대한 신뢰가 커 가는 것이었다. 그리고 내가 나 자신 안에 지니고 있는 힘에 대한 앎이 늘어나는 것이었다.

피스토리우스와 더불어 나는 어떤 식으로든 나 자신을 이해했다. 나는 다만 그에 대한 생각을 강하게 하기만 하면 되었다. 그러면 나는 그 자신이나 그가 보내는 인사가 나에게 온다는 것을 확신했다. 나는 그에게, 데미안에게 그랬듯이 그 자신이 그곳에 없어도 무언가를 물어볼 수 있었다. 그의 모습을 집중해서 그려 보기만 하면 되었고 나의 물음들을 집중해서 그에게로 보내기만 하면 되었다. 그러면 물음에 담은 모든 영혼의 힘이 대답이 되어 내 마음속으로 되돌아왔다. 다만 내가 상상한 것은 피스토리우스라는 인물이 아니었다. 데미안이라는 인물도 아니었다. 내가 불러야 했던 것은 내가 꿈꾸고 그린 그림, 남자면서 여자인 영상, 내 수호신의 영상이었다. 그것은 이제 더 이상 내 꿈속에서만 살지 않았으며 종이 위에 그려지는 것에 그치지 않고 내 마음속에 소망의 상이 되어, 상승된 나 자신이 되어 살고 있었다.

자살 실패자 크나우어가 나와 맺게 된 관계는 특이하고 이따금씩은 우스꽝스러웠다. 내가 그에게 보내진 밤부터 그는 나에게 매달렸다. 충직한 하인이나 개처럼. 그의 삶을 나의 삶에 연결하려 하고 맹목적으로 나를 따랐다. 그는 더할 나위 없이 놀라운 물음들, 소망들을 들고 나에게 왔다. 영들을 보려고 했으며 카발라를 배웠고 내가 그런 모든 일을 전혀 이해하지 못한다고 단언해도 나를 믿지 않았다. 그는 나에게 무슨 힘이든 다 있다고 믿었다. 그러나 기이했던 것은 그가 자주 놀랍고도 멍청한 질문들을 들고 나를 찾아온 것이 바로 내 마음속에서 어떤 매듭 하나가 풀려야 할 때였고 그의 변덕스러운 착상들과 관심사들이 나에게는 자주 화두이자 해결의 실마리가 되었다는 점이다. 충직한 그가 귀찮아 종종 보내 버리면서도 그 또한 나에게 보내진 사람임을 나는 느꼈다. 내가 그에게 준 것이 갑절이 되어 그에게서도 나와 내 마음속으로 되돌아옴을, 그 또한 나에게는 하나의 인도자이고 하나의 길임을 느낄 수 있었다. 그가 그 속에서 자신의 구원을 찾고 나한테 들고 오는 놀라운 책들과 글들은 나에게 내가 순간에 통찰할 수 있었던 것 이상의 가르침을 주었다.

이 크나우어가 나중에는 나도 모르는 사이에 내 길에서 사라져 버렸다. 그와는 대결이 필요하지 않았던 것이다. 그러나 피스토리우스와는 필요했다. 이 친구와 함께 나는 장크트○○ 시에서의 내 학생 시절이 끝나 갈 무렵에 또 한 번 특이한 체험을 했다.

악의 없는 인간도 살면서 한 번쯤 혹은 몇 번은 경건과 감사라는 아름다운 도덕과 갈등을 겪게 마련이다. 누구든 한 번은 자신을 아버지로부터, 스승들로부터 갈라놓는 걸음을 떼야 한다. 누구든 고독의 혹독함을 조금은 느껴야 한다. 대부분의 사람이 그것을 잘 견딜 수 없어 다시 밑으로 기어들기는 해도. 나는 내 부모님과 그들의 세계, 내 유년의 '환한' 세계로 부터 격렬한 싸움 속에서 결별하지 않고 천천히 거의 눈에 띄지 않게 그들로부터 멀어지고 낯설어졌다. 마음이 좋지 않았다. 그래서 고향을 찾아갈 때면 자주 씁쓸한 시간을 보냈다. 그러나 그것이 마음속까지 가지는 않았다. 견딜 만했다.

그러나 우리가 습관에서가 아니라 지극히 고유한 욕구에서 사랑과 경외를 표했던 곳, 우리가 더없이 진정으로 사도이자 친구였던 곳, 바로 그곳에 씁쓸하고 무서운 순간이 온다. 우리 마음속의 이끌어 가는 물결이 사랑하는 사람으로부터 멀어져 가려 함을 갑자기 알아차렸을 때 말이다. 그곳에서는 친구이자 스승을 거부하는 생각 하나하나가 독침으로 우리 자신의 심장을 찌른다. 그곳에서는 방어의 타격 하나하나가 자기 자신의 얼굴에 적중한다. 그곳에서는 한 가지 유효한 도덕을 마음속에 지니고 있다고 생각한 사람에게 '충직하지 못함'과 '배은망덕'이라는 이름이 떠오른다. 치욕적인 기억과 낙인처럼. 그곳에서는 놀란 가슴이 두려움에 차 유년의 미덕들이 있는 아늑한 골짜기로 도망쳐 돌아가며 이런 결렬이 이루어지고 이런 끈도 끊어져야 한다는 것을 믿지 못하게 된다.

시간이 가면서 서서히 내 마음속에서 하나의 느낌이 내 친구 피스토리우스를 그렇게 절대적 지도자로 인정하는 것에 저항했다. 내 청년 시절 극히 중요한 몇 달 동안 내가 체험한 것은 그와의 우정이고 그의 충고, 그의 위로, 그의 친근함이었다. 그를 통해 신이 나에게 말했다. 그의 입으로부터 내 꿈들이 나에게로 되돌아왔다. 밝혀지고 해석되어서. 그는 나에게

나 자신에게 가는 용기를 선사했다. 아, 그런데 이제 서서히
자라 가면서 나는 그에 대한 저항을 감지했다. 이제 들으니 그
의 말에는 지나치게 많은 가르침이 담겼고, 그가 완전히 이해
하는 것은 나의 일부일 뿐이라고 느껴졌다.

우리 사이에 다툼은 없었다. 요란한 장면도 없었다. 결론도,
청산조차도 없었다. 나는 그에게 다만 단 한마디의, 사실은 무
해한 말을 했다. 그러나 그 해롭지 않은 한마디가 던져진 바로
그 순간 우리 사이에 있었던 환상이 색색의 조각으로 깨져 흩
어졌다.

어떤 예감이 이미 한동안 나를 짓누르고 있었다. 그것이 분
명한 느낌으로 구체화된 것은 어느 일요일 그의 낡은 서재에
서였다. 우리는 불 앞 방바닥에 엎드려 있었고 그는 비밀 의
식들과 종교 형태들을 이야기했다. 그는 그런 것들을 연구하
고 명상하며, 그 가능한 미래에 열중하고 있었다. 그러나 나에
게는 그 모든 것이 인생을 결정할 만큼 중요하다기보다는 오
히려 기이하고 재미있는 것으로 보였다. 나에게는 그저 현학적
인 과시로 들렸다. 내 귀에는 이전 세계들의 폐허를 뒤지는 고
달픈 탐색의 소리로 들렸다. 그리하여 문득 나는 이 모든 방
식, 이런 신화 예배, 전승된 신앙 형식을 모자이크처럼 짜 맞
추는 유희에 거부감을 느꼈다.

"피스토리우스." 내가 갑자기 말했다. 스스로도 놀랄 만큼
악의가 담겨 있었다. "제게 다시 한번 꿈 이야기를 들려주셔야
겠어요. 밤에 꾸신 진짜 꿈 이야기를요. 지금 말씀하시는 것,
그건 참 빌어먹게 골동품 냄새가 나네요!"

내가 그런 식으로 말하는 것을 그는 들어 본 적이 없었다. 나 자신도 말하는 바로 그 순간에 번개같이, 내가 그에게 쏘아 버리고 그의 심장을 맞힌 화살이 그 자신의 무기고에서 꺼낸 것이었음을 수치와 충격으로 느꼈다. 그가 냉소적 음색으로 이따금씩 내뱉던 자기 비난의 어휘들을 이제 악랄하게도 내가 그에게 한껏 극단화된 형태로 던졌던 것이다.

그도 순간적으로 그것을 느꼈다. 그리고 즉시 잠잠해졌다. 마음속으로 두려움을 느끼며 그를 보고 있자니 그가 무섭게 창백해졌다.

길고 무거운 침묵 후에 그가 새 장작을 불에 얹고 가라앉은 음성으로 말했다. "자네 말이 전적으로 옳아, 싱클레어. 자네는 영리한 친구야. 나는 골동품으로 자네를 지켜 주려 하는 걸세."

그가 매우 침착하게 말했지만, 나는 그가 입은 상처의 고통을 잘 느낄 수 있었다. 내가 무슨 짓을 했던가!

눈물이 나올 것 같았다. 진심으로 그에게로 향하고 싶었다. 그에게 용서를 빌고 싶었다. 그에게 나의 사랑, 나의 애정 어린 감사를 확인시키고 싶었다. 감동적인 말들이 떠올랐다. 그러나 말할 수 없었다. 나는 그냥 엎드려 불을 들여다보며 말이 없었다. 그도 말이 없었다. 그렇게 우리는 누워 있었고 불은 타 내려가 다 꺼졌다. 탁탁 튀기며 꺼지는 불꽃 하나와 함께 다시는 돌아올 수 없는 아름다움과 친밀함도 다 타서 날아가 버리는 느낌이었다.

"제 말을 잘못 이해하셨을까 봐 두렵습니다." 내가 마침내 몹시 풀이 죽어 건조하고 쉰 목소리로 말했다. 마치 신문 연재 소설을 낭독하듯이 멍청하고 무의미한 말들이 기계적으로 내 입술 너머로 새어 나왔다.

"난 자네 말을 정확히 이해했네." 피스토리우스가 나직이 말했다. "자네가 옳아." 조금 뜸을 들인 다음 그가 천천히 계속했다. "한 인간이 다른 사람에게 맞서 옳을 수 있는 만큼 말일세."

아니, 아니, 나는 마음으로 외쳤다. 제가 틀렸어요! 그러나 아무 말도 할 수 없었다. 내가 단 한마디 보잘것없는 말로써 그의 본질적인 약점, 그의 괴로움과 상처를 가리켜 보였다는 것을 알았던 것이다. 그가 자신을 불신하지 않을 수 없는 바로 그 지점을 내가 건드렸던 것이다. 그의 이상에서는 '골동품 냄새가 났다.' 그는 과거를 향한 구도자였다. 그는 낭만주의자였다. 그리고 나는 갑자기 깊이 느끼게 되었다. 피스토리우스는 그가 나에게 준 것을 그 자신에게는 줄 수 없었으며 내 눈에 비친 그의 모습도 그의 실체는 아니었다는 사실을. 그는 길잡이인 자신도 넘어서지 못하고 떠나야 했던 길로 나를 인도했던 것이다.

어떻게 그런 말이 나왔는지는 신이나 아실 일! 나는 전혀 나쁜 뜻이 아니었고 파국의 예감도 없었다. 말을 입 밖에 내는 순간에도 무엇을 말하는 것인지 전혀 의식하지 못한 무언가를 입 밖에 냈던 것이다. 약간 재치 있고 약간 악의 있는 소소한 착상에 굴복했던 것이다. 그것이 운명이 되어 버렸다. 나는 부주의한 작은 횡포를 저질렀는데 그에게는 그것이 심판이 되어 버렸다.

당시에 나는 얼마나 간절히 소망했던가. 그가 화를 냈으면, 그가 자신을 방어하고 나한테 소리쳐 주었으면! 그는 아무것도 하지 않았다. 그 모든 것을 내가, 내 마음속에서, 스스로 해야만 했다. 만약 할 수만 있었더라면 그는 미소 지었으리라. 그가 그럴 수 없었다는 것, 그것에서 나는 내가 얼마나 심한 타격을 주었는지 가장 잘 볼 수 있었다.

그리고 피스토리우스는 주제넘고 배은망덕한 제자의 공격을 그렇게 소리 없이 받아들임으로써, 침묵하고 내가 옳다고 인정함으로써, 나의 말을 운명으로 인정함으로써 내가 나 스스로를 미워하도록 만들었다. 그는 나의 경솔함을 천배 더 크게 만들었다. 때리려 달려들었을 때 나는 방어력 있는 강한 사람을 쳤다고 생각했다. 그런데 맞은 사람은 인고하는 고요한 인간, 말없이 항복하는 무방비한 사람이었다.

오랜 시간 우리는 다 타 버린 불 앞에 그대로 엎드려 있었다. 불 속에서 타오르는 모습 하나하나가, 구부려져 들어가는 막대 모양의 재 하나하나가 행복하고 아름답고 풍요로웠던 시간들을 내 기억 속에 불러왔고 피스토리우스에게 내가 진 빚더미를 점점 더 크게 쌓아 올렸다. 마침내 나는 더 견디지 못했다. 일어서서 방을 나갔다. 나는 오래 서 있었다. 그의 방 문 앞에서, 어두운 계단 위에서, 집 바깥에서 그가 혹시 나와서 나를 따라오지 않을까 한동안 더 기다리며. 그다음에는 계속 걸었다. 몇 시간이고 시내와 교외, 공원과 숲을 돌아다녔다. 저녁까지. 그리고 당시에 나는 처음으로 내 이마에 찍힌 카인의 표적을 느꼈다.

하지만 서서히 나는 생각하게 되었다. 나의 생각은 모두 나 자신을 비난하고 피스토리우스를 옹호하려는 것이었다. 하지만 모든 것이 그 반대로 끝나 버렸다. 수천 번이나 나는 나의 경솔했던 말을 후회했고 다시 거두어 담을 용의가 있었다. 그러나 그래도 그것은 사실이었다. 이제 비로소 피스토리우스가 이해되었다. 그의 모든 꿈을 떠올려 볼 수 있었다. 이런 꿈이었다. 사제가 되어 새로운 종교를 알리는 꿈, 찬양과 사랑, 예배의 새로운 형식을 주고 새로운 상징들을 세우려는 꿈이었다. 그러나 그것은 그의 힘으로 될 일이 아니었다. 그의 직분이 아니었다. 그는 너무도 편안하게 이미 존재하는 것 속에 머물렀다. 그는 예전의 것을 너무도 정확하게 알았다. 그는 이집트에 대해, 인도에 대해, 미트라에 대해, 아브락사스에 대해 너무도 많이 알았다. 그의 사랑은 이미 지구가 본 형상들에 매여 있었다. 그러면서 마음속 가장 깊은 곳에서 그 스스로가 잘 알았다. 새로운 것은 새롭고도 달라야 하며 새 땅에서 솟아야지 수집되거나 도서관에서 길어 내져서는 안 된다는 것을. 그의 직분은 어쩌면 나에게 해 주었듯이 인간이 그 자신에게 이르도록 돕는 일이었을 것이다. 그들에게 전대미문의 것, 새로운 신들을 제시하는 것, 그것은 그의 직분이 아니었다.

그리고 여기서 갑자기 예리한 불꽃 같은 인식이 나를 불태웠다. 누구에게나 하나의 '직분'이 있지만, 누구도 직분을 자의로 택하고 고쳐 쓰고 마음대로 주재해도 되는 것은 아니라는 것. 새로운 신들을 원하는 것은 잘못되었다. 세계에 무언가를 주겠다는 것은 완전히 잘못된 생각이었다! 각성된 인간에게는 한 가지 의무 외에는 아무런, 아무런, 아무런 의무도 없었다. 자기 자신을 찾고, 자신 속에서 확고해지는 것, 자신의 길을 앞으로 더듬어 나가는 것. 어디로 가든 마찬가지였다. 그 생각이 내 마음을 깊이 뒤흔들었다. 그리고 그것이 내게는 이 체험에서 얻은 열매였다. 나는 자주 미래의 영상들을 가지고 유희했더랬다. 어쩌면 시인 혹은 예언자 혹은 화가 혹은 어떻게든 나를 위해 예비되었을 역할들을 꿈꾸곤 했다. 그 모든 것이 아무것도 아니었다. 나는 시를 짓기 위해, 설교하기 위해, 그림을 그리기 위해 존재하는 것이 아니었다. 또 다른 어떤 인간이 되라고 존재하는 것이 아니었다. 그 모든 것은 다만 부수적으로 생성된 것이었다. 모든 사람에게 진실한 직분이란 단 한 가지였다. 즉 자기 자신에게로 가는 것. 사람들은 결국 시인 혹은 광인이, 예언가 혹은 범죄자가 될 수도 있었다. 그것은 관심 가질 일이 아니었다. 그런 것은 궁극적으로 중요하지 않았다. 누구나 관심 가져야 할 일은 아무래도 좋은 운명 하나가 아니라 자신의 운명을 찾아내는 것이며, 운명을 자신 속에서 완전히 그리고 굴절 없이 다 살아 내는 일이었다. 다른 모든 것은 반쪽의 얼치기였다. 시도를 벗어남이고, 패거리의 이상(理想)으로의 재도피이고, 자기 자신에 대한 무비판적 적응이자 두려움이었다. 새로운 영상이 무섭고도 성스럽게 눈앞에서 솟았다. 수백 번 예감했고 어쩌면 자주 입 밖에 냈지만 이제 비로소 체험한 것이었다. 나는 자연이 던진 돌이었다. 불확실함 속으로, 어쩌면 새로운 것 속으로, 어쩌면 무(無)로 던져졌다. 그리고 측량할 길 없이 깊은 곳으로부터의 이 던져짐이 남김없이 이루어지게 하고, 그 뜻을 마음속에서 느끼고 그것을 완전히 내 것으로 만드는 것, 그것만이 나의 직분이었다. 오직 그것만이!

나는 이미 많은 고독을 맛보았다. 이제 예감했다. 더 깊은 고독이 있으며 그 고독에서는 벗어날 수 없다는 것을.

나는 피스토리우스와 화해하려 하지 않았다. 우리는 변함없이 친구였다. 그러나 관계가 달라졌다. 다만 단 한 번 우리는 그것에 대해 이야기했다. 아니, 사실 그렇게 한 것은 그였다. 그가 말했다. "나에게는 사제가 되려는 소망이 있어. 그걸 자네도 알지. 우리가 그토록 예감하는 새로운 종교의 사제가 가장 되고 싶었어. 난 결코 사제가 될 수 없을 걸세. 그걸 알아. 전에도 알았지. 자신에게 그걸 완전히 고백하지는 않았어도 벌써 오래전부터 말이야. 나는 바로 다른 사제 봉사를 하려 하네. 어쩌면 오르간 건반 위에서, 어쩌면 다른 곳에서. 그러나 나는 늘 무언가, 내가 아름답고 성스럽게 느끼는 것에 에워싸여 있어야 해. 오르간 음악과 비밀 의식이든, 상징과 신화든 나는 그런 것이 필요해. 그리고 그런 것에서 떠나지 않겠네. 그게 나의 약점이지. 왜냐하면 나도 때때로 싱클레어, 내가 그런 소망을 가져서는 안 되리라는 걸 알아. 그것이 사치이며 약점임을 알아. 만약 내가 아주 단순하게 아무런 요구 없이 운명에 자신을 내맡긴다면 그 편이 더 위대한 일일 거야. 더 올바른 일일 거야. 그러나 나는 그럴 수 없어. 그건 내가 할 수 없는 유일한 일이지. 어쩌면 자네는 언젠가 할 수 있을 거야. 그렇게 운명에 자신을 내맡기는 건 어려워. 그건 세상에서 유일한 진짜 어려움이라네. 이보게, 나는 자주 그 꿈을 꾸었지. 그러나 그럴 수 없어. 그 앞에서 몸서리쳐. 나는 그렇게 완전히 벌거벗은 채 외롭게 서 있을 수 없어. 나 또한 약간의 온기와 먹이를 필요로 하고 이따금씩은 자기 비슷한 것들을 곁에서 느끼고 싶어 하는 한 마리 가엾은 약한 개라네. 자신의 운명 말고는 정말로 아무것도 원하지 않는 자, 그에게는 그때부터 자기 비슷한 사람이 없어. 완전히 홀로 서 있지. 주위에는 오직 차가운 우주뿐이지. 자네 알지, 그건 겟세마네 동산의 예수야. 기꺼이 십자가에 못 박히려는 순교자들이 있었어. 그러나 그들도 영웅은 아니었어, 해방되지 않았어. 그들 또한 무언가를 원했지, 그들에게 익숙하며 고향 같은 것을. 그들에게는 모범이 있었어. 이상이 있었지. 아직도 오로지 운명만을 원하는 자, 그에게는 이제 모범도 이상도 없어. 사랑스러운 것이 아무것도 없어. 위로가 되는 것이 아무것도 없어, 그에게는! 그리고 사실은 이 길을 가야 하는 것 같아. 나나 자네 같은 사람들은 정말로 고독해. 그러나 우리는 아직도 함께 가지고 있는 것이 있지. 우리는 남들과 다르다는, 거역한다는, 비범한 것을 원한다는 남모르는 만족을 가지고 있지. 이 만족 또한 버려야 해. 그 길을 완전히 가고자 한다면 말이야. 혁명가가 되려 해서도 안 돼, 모범이 되려 해서도, 순교자가 되려 해서도 안 돼. 상상할 수도 없지만 말이야."

그렇다. 상상할 수도 없었다. 그러나 꿈꿀 수는 있었다. 미리 느낄 수는 있었다. 예감할 수 있었다. 아주 고요한 시각을 찾아낼 때면 몇 번 그것을 조금 느꼈다. 그럴 때면 나는 내 마음속으로 눈길을 보내며 똑똑하게 떠 있는, 내 운명의 영상의 두 눈을 들여다본다. 그 눈은 지혜로 가득한 것 같았다. 광기로 가득한 것 같았다. 사랑이 환히 빛나는 것 같기도 하고 깊은 악의가 빛나는 것 같기도 했다. 아무래도 좋았다. 그중 그 무엇도 택할 권리가 없었던 것이다. 그 무엇도 원할 권리가 없었던 것이다. 스스로 갖기를 원할 수 있는 것은 오직 자신의 운명뿐이었다. 그것으로 가는 한 구간을 피스토리우스는 나의 길잡이로 봉사했다.

그때 나는 눈먼 듯 이리저리 헤매었다. 내 마음속에서는 폭풍이 포효하고 있었다. 한 걸음 한 걸음이 위험이었다. 앞에는 지금까지의 모든 길이 들어가 가라앉아 버리고 마는 수렁의 어둠밖에 보이지 않았다. 그리고 나의 내면에서는 인도자의 모습을 보았다. 그 사람은 데미안을 닮았으며 그 눈에 내 운명이 적혀 있었다.

나는 종이에 적었다. "한 인도자가 나를 떠났습니다. 나는 완전한 어둠 속에 서 있습니다. 한 발자국도 혼자 디딜 수 없습니다. 도와주십시오!"

나는 데미안에게 그 종이를 보내려 했다. 그렇지만 그만두었다. 내가 그러려고 하면 번번이 그것이 멍청하고 무의미해 보였던 것이다. 그러나 나는 그 작은 기도를 외웠고 그것을 자주 마음속에서 되뇌었다. 그 말은 매시간 나와 함께 있었다. 기도가 무엇인지 나는 예감하기 시작했다.

내 학생 시절이 끝났다. 나는 방학 동안 여행을 했다. 아버지가 생각해 낸 일이었다. 그리고 다음에는 대학에 가기로 되어 있었다. 어떤 대학에 갈지는 몰랐다. 철학을 한 학기 듣기로 했다. 다른 과목을 들었더라도 마찬가지로 만족스러웠을 것 같다.

# 에바 부인

방학 중에 한 번 몇 해 전 막스 데미안이 어머니와 함께 살던 집으로 가 보았다. 어떤 늙은 부인이 뜰에서 산책을 하고 있어 말을 걸었더니 그 집 주인이었다. 데미안 일가에 대해 물었다. 잘 기억했지만 그들이 지금 어디 사는지는 몰랐다. 내가 관심을 가진 것을 알고는, 나를 집 안으로 데리고 가서 가죽 앨범을 찾아내 데미안 어머니의 사진을 보여 주었다. 내게 그녀에 대한 기억은 거의 없었다. 그러나 작은 사진을 보았을 때 심장의 고동이 멈추었다. 그것은 내 꿈의 영상이었다! 그녀였다. 키가 크고 거의 남자 같은 여성의 모습, 아들과 비슷한데 어머니다운 표정, 엄격한 표정, 깊은 열정의 표정을 지녔으며, 아름다우면서 유혹적이고, 아름다우면서 접근할 수 없었다. 수호자이자 어머니, 운명이자 연인이었다. 그녀였다!

내 꿈의 영상이 지상에 살아 있음을 그렇게 알게 되었을 때, 그것은 엄청난 기적처럼 내 온몸을 꿰뚫었다! 그런 모습의 여성, 내 운명의 표정을 지닌 여성이 존재했던 것이다! 그녀는 어디에 있을까? 어디에! 그런데 그녀가 데미안의 어머니였다.

그 뒤 곧 나는 여행을 떠났다. 특별한 여행이었다! 나는 그때그때 떠오르는 생각을 따라 이곳저곳으로 쉬지 않고 돌아다녔다. 줄곧 그녀를 찾으면서. 그녀를 상기시키는 모습, 그녀를 닮은 모습, 뒤엉킨 꿈속에서처럼 낯선 도시들의 골목길들을 지나 역들을 지나 기차로 나를 끌어들이는 모습, 온통 그런 모습들만 만나는 날들이 있었다. 내가 그렇게 찾아다니는 것이 얼마나 부질없는 일인가를 통찰하는 다른 날들이 있었다. 그런 날에는 아무것도 하지 않고 그 어딘가에, 공원에, 호텔 정원에, 대합실에 앉아 내 마음을 들여다보았고 내 마음속의 그 영상을 살아 있게 만들려 했다. 그러나 그것은 이제 부끄럼 타듯, 도망치듯 사라지곤 했다. 한 번도 잠을 제대로 잘 수 없었다. 기차를 타고 알 수 없는 풍경들을 지나며 나는 십오 분 정도씩 끄덕끄덕 졸았다. 한번은 취리히에서 어떤 여자가 나를 쫓아왔다. 예쁘지만 다소 뻔뻔스러운 여자였다. 나는 그녀의 모습을 거의 쳐다보지도 않고 계속 갔다. 마치 그녀가 공기이기라도 하듯이. 다른 여성에게 한시라도 관심을 보내느니 차라리 즉시 죽어 버리는 편이 나을 것 같았다.

나는 내 운명이 나를 끌어당기고 있음을 감지했다. 성취가 가까이 있음을 감지했다. 성취를 위해 나 자신은 아무것도 할 수 없다는 초조로 미칠 것 같았다. 한번은 어느 역에서, 인스부르크에서였던 것 같은데, 방금 출발한 기차의 창가에서 그녀를 상기시키는 모습을 보았고 그래서 여러 날 불행했다. 그런데 갑자기 그 모습이 밤에 꿈속에서 나타났다. 내 추적의 무의미함에 대한 부끄럽고 황량한 느낌으로 깨어나 나는 곧바로 집으로 돌아갔다.

몇 주 뒤 나는 H대학에 등록했다. 모든 것이 실망스러웠다. 내가 들은 철학사 강의는 대학에서 공부하는 젊은이들의 방랑과 똑같이 실체 없고 공장식이었다. 모든 것이 찍어 낸 것 같았다. 이 사람이나 저 사람이나 같은 것을 했다. 그리고 소년 티 나는 얼굴들에 어린 달아오른 즐거움은 보는 사람이 우울할 정도로 텅 비고 기성품처럼 보였다! 그러나 나는 자유로웠다. 나 자신을 위해 온 하루를 쓸 수 있었다. 교외의 오래된 낡은 집에서 조용하고 아름답게 지냈고, 내 책상 위에는 니체가 몇 권 놓여 있었다. 나는 니체와 함께 살았다. 그의 영혼의 고독을 느꼈다. 그를 그침 없이 몰아간 운명의 냄새를 맡았다. 그와 함께 괴로워했다. 그토록 가차 없이 자신의 길을 간 사람이 존재했다는 것이 행복했다.

한번은 저녁 늦게 한가롭게 시내를 걷고 있었다. 불어오는 가을바람 속에서 대학생 무리들이 술집들에서 노래 부르는 소리가 들렸다. 열린 창문에서 담배 연기가 자욱하게 솟아 나왔다. 큰 홍수처럼 쏟아져 나오는 노랫소리는 크고 요란했지만 활기가 없고 생명 없이 획일적이었다.

나는 어느 길모퉁이에 서서 귀 기울였다. 정확하게 연습된 젊음의 쾌활함이 두 술집으로부터 울려 나와 어둠 속으로 치솟았다. 어디를 가도 모임이, 어디를 가도 함께 쭈그리고 앉는 모임이 있었다. 어디서나 운명의 짐 풀기와 따뜻한 아궁이 곁으로의 도피가 있었다!

내 뒤에서 남자 둘이 천천히 지나갔다. 나는 그들의 대화를 조금 들었다.

"어느 흑인 부락에 있는 청년 집회소나 여기나 똑같지 않아요?" 한 사람이 말했다. "다 똑같지요. 심지어 문신이 아직도 유행이고. 알아 두시오. 이게 신(新)유럽이오."

그 목소리는 놀랍게 경고적이고 귀에 익은 것이었다. 나는 어두운 골목에서 두 사람을 따라갔다. 한 사람은 키가 작은 멋쟁이 일본인이었다. 어느 가로등 밑에서 그의 미소 띤 노란 얼굴이 문득 환히 빛나는 것이 보였다.

그러자 다른 사람이 다시 말했다.

"그런데 당신네 일본에서도 더 나을 게 없겠지요. 패거리를 뒤쫓지 않는 사람은 어디서나 드물어요. 여기에도 조금 있을 뿐입니다."

그 말 한마디 한마디가 기쁜 놀라움으로 나의 뇌리를 꿰뚫었다. 말하는 사람은 내가 아는 사람이었다. 데미안이었다.

바람 부는 어둠 속에서 나는 그와 일본 사람을 따라 어두운 골목들을 지났고, 그들의 대화에 귀 기울였으며 데미안의 목소리의 울림을 즐겼다. 그 목소리는 예전의 음색을 지니고 있었다. 오래된, 아름다운 안정감과 평안을 지니고 있었고 나를 지배하는 힘을 지니고 있었다. 이제 모든 것이 잘됐다. 그를 찾아낸 것이다.

어느 교외 거리의 끝에서 일본 사람이 작별 인사를 하고 현관문을 열었다. 데미안은 그 길을 되돌아왔다. 나는 그대로 멈추어 선 채로 길 한가운데에서 그를 기다렸다. 뛰는 가슴으로 나는 그가 나를 향해 마주 오는 모습을 보고 있었다. 꼿꼿하고 탄력 있으며, 갈색 레인코트를 입고, 팔에는 가느다란 단장을 걸고 있었다. 그는 특유의 고른 보조를 유지한 채로 내 바로 앞까지 와서 모자를 벗고 환한 얼굴을 내게 보였다. 결단력 있게 다문 입에, 넓은 이마가 특이하게 환한 얼굴을.

"데미안!" 내가 외쳤다.

그가 내게로 손을 뻗었다.

"너로구나, 싱클레어! 널 기다렸어."

"내가 여기 있는 걸 알았단 말이야?"

"정확하게는 몰랐지만 확신을 가지고 희망했어. 보는 건 오늘 저녁이 처음이고. 너 저녁 내내 우리를 뒤따라왔지."

"그럼 난 줄 금방 알았단 말이야?"

"물론이지. 네가 변하기는 했지만. 그래도 여전히 그 표적을 가지고 있구나."

"그 표적? 무슨 표적 말이야?"

"우리가 전에 카인의 표적이라고 그랬지. 아직 기억할 수 있다면 말이야. 그건 우리의 표적이지. 넌 그걸 언제나 가지고 있었어. 그래서 내가 네 친구가 되었고. 그런데 지금은 그 표적이 더 분명해졌구나."

"난 몰랐어. 아니면 사실 알고 있었는지도 모르겠어. 한번은 형 모습을 그렸어. 그런데 놀랍지. 그게 나하고도 비슷했어. 그것이 그 표적이었을까?"

"맞아, 그 표적이었어. 네가 이제 여기 있으니 좋구나! 우리 어머니도 기뻐하실 거야."

나는 놀랐다.

"형 어머니? 여기 계셔? 날 전혀 모르시잖아."

"아니, 너에 대해 아셔. 널 잘 아실 거야, 네가 누구인지. 내가 말씀드리지는 않았지만. 넌 오래 아무 소식이 없었지."

"오, 자주 편지를 쓰려고 했지만 잘 안됐어. 얼마 전부터는 틀림없이 형을 곧 찾아내리라는 느낌이 들었어. 날마다 기다렸어."

그가 내 팔짱을 끼고 나와 함께 계속 걸었다. 그에게서 안정감이 나와 내 마음속으로 흘러들었다. 우리는 곧 예전처럼 이런저런 이야기를 했다. 학생 시절을, 견진 교리 수업을, 당시 방학 때의 저 불행한 만남도 기억했다. 다만 두 사람 사이의 가장 긴밀한 최초의 끈 프란츠 크로머에 대해서만은 그때도 이야기가 없었다.

어느새 우리는 기이하고도 예감에 찬 대화 한가운데로 빠져들었다. 데미안이 그 일본인과 나누었던 대화를 상기하며 대학 생활에 대해 이야기했고 그것에서부터 다른 이야기로 옮아갔다. 멀리 있는 것처럼 보이던 다른 문제도 데미안의 말 가운데에서 긴밀하게 연관되었다.

그는 유럽의 정신과 이 시대의 징표에 대해 이야기했다. 어디서나 연합과 패거리 짓기가 기세를 떨치고 있지만 그 어디서도 자유와 사랑은 없다고 그가 말했다. 대학생 서클과 노래 동호인 모임에서 국가에 이르기까지의 이 모든 공동체는 두려움에서, 무서움에서, 당황에서 비롯되었는데, 그런 공동체는 내부가 상해 있고 낡고 와해가 임박했다는 것이었다.

"연대란……." 데미안이 말했다. "멋진 일이지. 그러나 지금 도처에 만발해 있는 것은 결코 연대가 아니야. 진정한 연대는 개개인들이 서로를 앎으로써 새롭게 생성될 테고, 한동안 세계의 모습을 바꾸어 놓을 거야. 지금 연대라며 저기 저러고 있는 것은 다만 패거리 짓기일 뿐이야. 사람들이 서로에게로 도피하고 있어. 서로가 두렵기 때문이야. 신사는 신사들끼리, 노동자는 노동자들끼리, 학자는 학자들끼리! 그런데 그들은 왜 불안한 걸까? 자기 자신과 하나가 되지 못하기 때문에 불안한 거야. 그들은 한 번도 자신을 안 적이 없기 때문에 불안한 거야. 그들 모두가 그들의 삶의 법칙들이 이제는 맞지 않음을, 자기들은 낡은 목록에 따라 살고 있음을 느끼는 거야. 종교도 도덕도 그 모두가 이제는 우리가 필요로 하는 것에 맞지 않아. 100년 그리고 그 이상을 유럽은 그저 연구만 하고 공장이나 지었지. 사람들은 정확히 알아. 사람 한 명을 죽이는 데 화약이 몇 그램 필요한지. 그러나 신에게 어떻게 기도해야 하는지는 모르지. 한 시간을 어떻게 유쾌하게 보낼 수 있는지조차 모르는걸. 저런 대학생 술집을 한번 봐! 아니면 부자들이 가는 유흥장들을 봐! 절망적이지! 이봐, 싱클레어, 그 모든 것에서는 진정한 명랑함이 나올 수 없어. 저렇게 겁을 먹고 서로 뭉친 사람들은 두려움과 악의로 가득해. 아무도 남들을 신뢰하지 않아. 그들은 이제 더 이상 이상(理想)이 되지 못하는 이상들에 매달려 있어. 그러면서 새로운 이상을 내세우는 사람에게는 돌을 던지지. 싸움이 있으리라는 게 느껴져. 싸움들이 다시 벌어질 거야. 날 믿어. 곧 벌어진다고! 물론 그것들이 세계를 '개선'하지는 못하지. 노동자들이 그들의 공장주를 쳐 죽이든지 러시아와 독일이 서로 총질을 하든지 주인만 바뀌겠지. 그러나 헛된 일은 아닐 거야. 오늘날의 이상이 얼마나 가치 없는지 밝혀지겠지. 석기 시대의 신들을 청소하게 되겠지. 지금 있는 대로의 이 세계는 죽으려 하고 있어. 멸망하려 하고 있어. 그리고 멸망할 거야."

"그럼 우리는 어떻게 될까?" 내가 물었다.

"우리? 오, 어쩌면 우리도 함께 멸망하겠지. 우리가 우리 같은 사람을 쳐 죽일 수도 있지. 제발 그럼으로써 우리가 다 없어져 버리는 일만 없기를. 우리에게서 남는 것 혹은 우리 중에서 그 후에도 살아남는 자들 주위에 미래의 의지가 집결되겠지. 우리 유럽이 한동안 자신의 기술 및 학문의 대목 시장을 펼쳐 놓고 소리소리 질러 대는 통에 들리지 않았던 인류의 의지가 드러날 거야. 그리고 그다음에는 인류의 의지가 결코 그 어디서도 오늘날의 공동체들, 국가들과 민족들, 협회들과 교회들의 의지와 같지 않다는 게 드러나겠지. 오히려 자연의 의지는 개개인들 속에 적혀 있어. 네 마음속과 내 마음속에. 예수 속에 적혀 있고 니체 속에 적혀 있지. 유일하게 중요한 이 흐름들을 위한(그런 건 물론 날마다 모습이 다를 수 있겠지만) 공간이 생길 거야. 오늘날의 공동체들이 와해되고 나면 말이야."

우리는 늦게 강가에 있는 어느 뜰 앞에서 멈추었다.

"여기가 우리 집이야." 데미안이 말했다. "곧 한번 와! 우리는 널 몹시 기다리고 있어."

나는 기쁜 마음으로 서늘해진 어둠을 뚫고 먼 거리를 걸어
서 돌아갔다. 이곳저곳에서 집으로 돌아가는 대학생들이 시끌
벅적 휘청거리며 시내를 지나갔다. 나는 때로는 결핍감을 느
끼며, 때로는 비웃으며 그들의 우스꽝스러운 즐거움과 나의 외
로운 삶이 대립됨을 자주 느꼈다. 그러나 그런 것이 나하고 얼
마나 무관한지, 이런 세계가 나한테는 얼마나 멀리 실종된 것
인지를 오늘처럼 안정감과 남모르는 힘으로 느껴 본 적은 아
직 한 번도 없었다. 내 고향 도시의 관리들, 그 늙고 위엄 있
는 신사들이 기억났다. 그네들은 축복받은 천국의 기념품처럼
그들이 술집에서 허비한 대학 시절의 추억에 매달리며 그들
의 학창 시절의 사라져 버린 '자유'를 예찬했다. 여느 때 시인
이나 다른 낭만주의자들이 유년에 바치는 숭배와도 같이. 어
디서나 똑같았다! 어디서나 그들은 이미 지나가 버린 시간 속
어딘가에서 '자유'와 '행복'을 찾았다. 오로지 두려움에서 그들
은 자기 자신의 책임을 기억하고 자신의 길을 가라는 경고를
받았을 수도 있을 것이다. 몇 년 술 퍼마시고 방종한 생활을
하다가 그다음에는 밑으로 기어들어 국가에 봉사하는 근엄한
신사가 된 것이다. 그렇다. 썩어 있었다. 우리가 사는 곳은 썩
어 있었다. 그리고 세상에는 이 대학생들의 멍청함보다 더 멍
청하고 더 나쁜 수백 가지 다른 멍청함이 있었다.

그렇지만 내가 멀리 떨어진 숙소에 도착해 잠자리에 들었
을 때 이 모든 생각은 날아가 버리고 없었다. 나의 생각은 온
통 이 하루가 준 큰 약속에 쏠려 있었다. 내가 원하기만 하면

내일이라도 데미안의 어머니를 볼 수 있을 것이다. 대학생들이 술판을 벌이든 얼굴에다 문신을 새기든, 세계가 썩어 몰락을 기다리고 있든 나와 무슨 상관이란 말인가! 나는 기다릴 뿐이었다. 나의 운명이 새로운 모습으로 나를 향해 오기를.

아침 늦게까지 깊이 잠을 잤다. 새로운 날은 소년 시절의 성탄절 잔치 이후 더는 겪어 보지 못한 장엄한 축제일처럼 밝아 왔다. 나는 속속들이 동요했다. 그러나 불안은 전혀 없었다. 나에게 중요한 하루가 밝았다고 느꼈고 나를 에워싼 세계가 변화했음을, 나와 깊은 관련을 갖고서 장엄하게 기다리고 있음을 보고 느꼈다. 나직하게 내리는 가을비조차도 아름답고 고요하게, 축일답게 엄숙하고도 즐거운 음악으로 가득했다. 처음으로 바깥 세계가 나의 내면세계와 어울려 순수한 화음을 냈다. 그다음은 영혼의 축제일이었다. 그다음은 살아 볼 만했다. 어떤 집도, 어떤 쇼윈도도, 골목의 어떤 얼굴도 거슬리지 않았다. 모든 것이 분명 그래야 하는 대로였지만 일상적이고 익숙한 것의 공허한 얼굴을 지닌 것이 아니라 기다리는 자연이었으며 경건하게 운명을 맞을 채비가 되어 있었다. 어린 소년일 적 큰 축제일 아침에, 성탄절이나 부활절 아침에 세계를 그렇게 바라보았더랬다. 세상이 아직도 그렇게 아름다울 수 있다는 것을 나는 그때까지 알지 못했다. 나는 내면을 향해 가는 삶을 살아가는 데 익숙했다. 또한 내가 바깥에 있는 것에 대한 감각을 상실했다는 사실, 반짝이는 색채들의 상실은 유년의 상실과 불가피하게 연관된다는 사실, 영혼의 자유로움과 남성다움을 이 아름다운 광채의 포기로 어느 정도는

지불해야만 한다는 사실을 감수하는 데도 익숙했다. 그런데 이제 나는 매혹되어 인식했다. 그 모든 것이 다만 엎질러지고 어두워져 버렸다는 것을, 그러나 유년의 행복을 포기하고 자유로워진 사람도 세계가 빛을 뿜는 모습을 바라보고 어린이다운 시각의 내밀한 전율을 맛볼 수 있다는 것을.

막스 데미안과 지난밤 작별했던 교외의 정원을 내가 다시 찾아가는 시간이 왔다. 비에 젖어 잿빛이 도는 키 큰 나무들 뒤로 작은 집이 환한 빛을 발하며 아늑하게 숨겨져 있었다. 커다란 유리벽 뒤에는 키 큰 다년생 화초들이, 말갛게 닦인 창문 뒤에는 그림들과 서가가 달린 어두운 벽들이 있었다. 현관문은 따뜻하게 해 놓은 작은 홀로 곧바로 이어졌다. 검은 옷에 흰 앞치마를 입은 말없는 늙은 하녀가 나를 맞아들여 외투를 벗겨 주었다.

그녀는 나를 현관홀에 혼자 남겨 두었다. 주위를 둘러보았다. 곧바로 나는 내 꿈 한가운데 있었다. 문 뒤, 위쪽 짙은 색 목재 벽에 걸린 검은색 유리 액자에 내가 잘 아는 그림이, 지각(地殻)을 뚫고 나오려고 몸을 솟구치는 황금빛 매의 머리를 가진 나의 새가 들어 있었다. 나는 사로잡힌 듯 멈추어 서 있었다. 마음이 무척 기쁘기도 하고 슬프기도 했다. 마치 이 순간에 내가 행하고 경험한 모든 것이 대답과 성취가 되어 내게로 되돌아오는 것만 같았다. 번개같이 빠르게 한 무리의 영상들이 뇌리를 스쳐 갔다. 대문 아치 위에 오래된 돌 문장이 있는 고향 부모님 집, 그 문장을 그리던 소년 데미안, 나의 적 크로머의 나쁜 마술에 얽혀들어 꼼짝 못 하며 두려움에 차 있는 소년인 나, 조용한 교실 책상에서 내 그리움을 그림으로 그리는 청년인 나, 마음의 실 가닥들이 얽힌 그물에 스스로 얽혀 든 영혼 그리고 이 순간까지의 모든 것, 모든 것이 나의 마음속에서 메아리쳤다. 나의 마음속에서 긍정되고, 대답되고, 시인되었다.

축축해진 눈으로 나는 나의 그림을 응시하며 내 마음을 읽었다. 그때 내 시선이 아래로 향했다. 새 그림 아래 열린 문에 짙은 색 옷을 입은 키 큰 여성이 서 있었다. 그녀였다.

나는 아무 말도 할 수 없었다. 자기 아들의 얼굴과 똑같이 시간과 나이 없이 영혼이 깃든 의지로 충만한 얼굴로 아름답고 기품 있는 여성이 나를 향해 다정하게 미소 짓고 있었다. 그녀의 시선은 성취였다. 그 인사가 뜻하는 것은 귀향이었다. 말없이 나는 그녀에게 두 손을 내밀었다. 그 손을 그녀가 힘 있고 따뜻한 두 손으로 마주 잡았다.

"싱클레어죠. 금방 알아봤어요. 어서 오세요!"

그녀의 목소리는 깊고 따뜻했다. 나는 감미로운 포도주인 듯 그 목소리를 들이켰다. 그리고 이제 눈을 들어 그녀의 고요한 얼굴을, 깊이를 헤아리기 어려운 검은 눈을 들여다보았다. 신선하고 성숙한 입을, 자유롭고 당당한, 그 표적을 지닌 이마를 쳐다보았다.

"얼마나 기쁜지 모르겠습니다!" 내가 그녀에게 말하며 두 손에 키스했다. "제 모든 생애는 늘 길 위에 있었던 것 같습니다. 그런데 지금 집으로 돌아왔습니다."

그녀가 어머니처럼 미소 지었다.

"결코 집으로 아주 돌아오지는 못하지만……." 그녀가 다정하게 말했다. "친한 길들이 서로 만나는 곳, 거기서는 온 세계가 잠깐 고향처럼 보이지요."

그녀가 말하는 것은 내가 그녀에게 오는 길에 느낀 것이었다. 그녀의 목소리, 그녀의 말은 아들과 매우 닮았으면서도 전혀 달랐다. 모든 것이 더 성숙하고, 더 따뜻하고, 더 자명했다. 그러나 막스가 예전에 누구에게도 소년의 인상을 주지 않았던 것과 똑같이 그의 어머니는 전혀 장성한 아들을 둔 어머니처럼 보이지 않았다. 그녀의 얼굴과 머리카락 주위로 감도는 숨결은 그토록 젊고 감미로웠다. 그녀의 금빛 도는 피부는 그렇게 팽팽하고 주름이 없었다. 입은 그렇게 꽃피어 있었다. 내 꿈속에서보다도 더 당당하게 그녀는 내 앞에 서 있었다. 그녀 곁에 있음은 사랑의 행복이었다. 그녀의 시선은 성취였다.

이것은 내 운명이 나에게 스스로의 모습을 보여 준 새로운 영상이었다. 더 이상 엄격하지 않고, 더 이상 고립시키지 않으며, 아니 성숙하고 흔쾌하게, 흥겹게 보여 주었다! 나는 결단을 내리지 않았다. 맹세도 하지 않았다. 나는 목적에 도달해 있었다. 높은 길이 난 곳에. 그곳에서 보면 앞으로 갈 길이 멀리 찬란하게 언약의 땅을 향하여 나 있었다. 가까운 행복의 나무 그늘이 드리우고, 가까운 갖가지 즐거움의 정원들에서 식은 길이었다. 어떻게 되어 가든 나는 행복했다. 세상에서 이 여성을 안다는 것이, 그 목소리에 젖어 든다는 것이, 그녀 곁에서 숨 쉰다는 것이. 그녀가 내게 어머니가 되든, 연인이 되든, 여신이 되든 그녀가 거기 있기만 하다면! 나의 길이 그녀의 길에 가깝기만 하다면!

그녀가 나의 매 그림을 가리켰다.

"이 그림을 받았을 때만큼 우리 막스가 기뻐한 적은 없어요." 그녀가 생각에 잠겨 말했다. "나도 그렇고요. 우린 당신을 기다렸답니다. 그리고 이 그림이 왔을 때, 당신이 우리에게로 오는 길이라는 것을 알았지요. 당신이 어린 소년이었을 때, 싱클레어, 그때 어느 날 내 아들이 학교에서 오더니 말했지요. '이마에 표적을 지닌 소년이 하나 있어요. 그 애는 분명 내 친구가 될 거예요.' 그것이 당신이었어요. 사는 게 쉽지 않았겠지요. 그러나 우린 당신을 믿었답니다. 한번은 방학에 집에 왔을 때 다시 막스와 만났지요. 열여섯 살 때쯤이었을 겁니다. 막스가 나한테 그 이야기를 했어요."

내가 중단시켰다. "오, 형이 그런 말을 하다니! 그때는 제가 가장 비참하던 시절이었어요!"

"그래요, 막스가 나한테 이러더군요. '지금 싱클레어에게 가장 큰 어려움이 닥쳤어요. 그 애는 다시 한번 공동체 속으로 도피하려는 시도를 하고 있어요. 심지어 술집 단골이 되었어요. 그러나 그렇게는 안 될 거예요. 그의 표적이 가려져 있지만 그 표적이 아무도 모르게 그를 불태우고 있거든요.' 그러지 않았나요?"

"오, 그래요, 그랬어요, 꼭 그랬어요. 그다음에 저는 베아트리체를 발견했고 그다음에 마침내 다시 저를 저 자신에게로 이끄는 인도자가 왔지요. 그의 이름은 피스토리우스예요. 그때야 저는 왜 저의 소년 시절이 그토록 막스 형과 결합되었는지, 왜 제가 그로부터 벗어날 수 없었는지 분명히 알게 되었습니다. 아주머니, 아니 어머니, 전 당시에 자주 생각했어요, 죽어야겠다고요. 그 길은 누구에게나 그렇게 어렵습니까?"

그녀가 바람처럼 가볍게 손으로 내 머리카락을 쓸어 넘겨 주었다.

"그건 늘 어려워요, 태어나는 것은요. 아시죠, 새는 알에서 나오려고 애를 쓰지요. 돌이켜 생각해 보세요, 그 길이 그렇게 어렵기만 했나요? 아름답지는 않았나요? 혹시 더 아름답고 더 쉬운 길을 알았나요?"

나는 고개를 가로저었다.

"그건 힘들었어요." 내가 잠꼬대처럼 말했다. "힘들었어요. 꿈이 올 때까지는요."

그녀가 고개를 끄덕이며 꿰뚫을 듯 나를 바라보았다.

"그래요. 자신의 꿈을 찾아내야 해요. 그러면 그 길이 쉬워지지요. 그러나 영원히 지속되는 꿈은 없어요. 어느 꿈이든 새 꿈으로 교체되지요. 그러니 어느 꿈에도 집착하면 안 돼요."

나는 몹시 놀랐다. 놀람이 벌써 하나의 경고였을까? 방어였을까? 그러나 경고든 방어든 상관없었다. 나는 그녀의 인도를 받으며 목적지에 대해서는 묻지 않을 용의가 있었다.

"모르겠습니다." 내가 말했다. "얼마나 오래 제 꿈이 지속될는지. 이것이 영원하기를 소망합니다. 새 그림 아래서 제 운명이 저를 맞아 주었습니다. 어머니처럼 그리고 연인처럼요. 제 주인은 운명입니다. 달리 그 누구도 아닙니다."

"그 꿈이 당신의 운명인 한 당신은 그 꿈에 변함없이 충실

해야겠지요." 그녀가 진지하게 확인시켜 주었다.

한 가닥 슬픔이 나를 사로잡았다. 이 마력으로 불러온 듯한 시간에 죽었으면 하는 간절한 소망이. 눈물이(얼마나 오래 나는 울지 않았던가!) 걷잡을 수 없이 안에서 솟구쳐 나를 압도할 것 같은 느낌이었다. 나는 격하게 그녀로부터 몸을 돌려 창가로 가서 흐려진 눈으로 화분의 꽃들 너머를 바라보았다.

등 뒤에서 그녀의 목소리가 들렸다. 목소리는 침착하면서도 술이 넘치도록 채워진 잔처럼 애정으로 가득 차 있었다.

"싱클레어, 어린아이로군요! 당신의 운명은 당신을 사랑하는데요. 언젠가 그것은 완전히 당신 것이 될 거예요. 당신이 꿈꾼 대로요. 당신이 변함없이 충실하면요."

나는 자제하고 얼굴을 다시 그녀에게 향했다. 그녀가 손을 내밀었다.

"내게는 친구가 몇 명 있어요." 그녀가 미소를 띠고 말했다. "몇 안 되는 아주 가까운 친구들이죠. 그들은 나를 에바 부인이라고 불러요. 당신도 나를 그렇게 불러요, 원한다면요."

그녀가 나를 문까지 데려가더니 문을 열며 정원을 가리켰다. "저기 바깥에서 막스를 찾을 수 있을 거예요."

나는 큰 나무들 아래 마비되고 온통 뒤흔들린 채 서 있었다. 일찍이 그 어느 때보다 더 깨어 있는지 아니면 더 꿈꾸고 있는지, 그것은 알 수 없었다. 나뭇가지들에서 빗방울이 가볍게 떨어지고 있었다. 나는 천천히 정원 안으로 들어섰다. 정원은 강기슭을 따라 멀리 이어졌다. 마침내 데미안을 찾아냈다. 그는 문이 열린 작은 정자에 웃통을 벗은 채로 서서 걸려 있는 샌드백을 상대로 권투 연습을 하고 있었다.

나는 놀라서 멈추었다. 데미안은 화사해 보였다. 넓은 가슴, 단단하고 남자다운 머리통, 근육이 팽팽한 쳐든 두 팔은 탄탄하고 실팍했다. 허리, 어깨, 팔 관절이 마치 촬촬 솟는 샘처럼 움직였다.

"데미안!" 내가 불렀다. "거기서 뭐 해?"

그가 즐겁게 웃었다.

"연습하는 거야. 그 작은 일본 사람하고 레슬링을 한 판 벌이기로 했거든. 그자는 고양이처럼 날쌔고 꼭 그만큼 꾀도 있지. 그러나 나를 해치우지는 못할걸. 그에게 아주 작은 굴욕을 당했는데 그걸 갚아야 해."

그가 셔츠와 재킷을 걸쳤다.

"벌써 우리 어머니를 만나고 왔니?" 그가 물었다.

"그래. 형, 어쩌면 그렇게 근사한 어머니가 있지! 에바 부인이시라지! 이름이 완벽하게 어울리시더라. 모든 본질의 어머니 같으셔."

그가 한순간 생각에 잠겨 내 얼굴을 들여다보았다.

"그 이름을 벌써 아는구나? 이봐, 넌 자랑스러워해도 되겠다. 어머니가 처음 만났을 때 벌써 그 이름을 말해 준 건 네가 처음이야."

그날부터 나는 아들이자 형제처럼 또한 연인처럼 그 집을 드나들었다. 등 뒤로 집 문을 닫고 들어설 때면 멀리서 정원의 큰 나무들이 보이기만 해도 나는 벌써 풍요롭고 행복했다. 바깥에는 '현실'이 있었다. 바깥에는 거리와 집 들, 사람과 시설 들, 도서관과 강의실 들이 있었다. 그러나 이곳 안에는 사랑과 영혼이 있었다. 이곳에서는 동화가, 꿈이 살았다. 그리고 그렇다고 우리가 세상으로부터 차단되어 사는 것은 결코 아니었다. 우리는 생각과 대화 가운데서 자주 그 세계 한가운데에서 살았다. 다만 우리는 다수의 사람들과 어떤 경계선에 의해 갈라져 다른 벌판에 있는 것이 아니라 오로지 다르게 바라봄에 의해 갈라져 있었다. 우리의 과제는 세계 안에서 하나의 섬을 제시하는 것, 어쩌면 하나의 모범을, 아무튼 살아가는 다른 가능성을 알리는 것이었다. 내가, 오래 고립되어 있던 사람인 내가 완전한 혼자임을 맛본 사람들 사이에 존재하는 공동체를 알게 되었다. 다시는 행복한 사람들의 연회를, 즐거운 사람들의 축제를 갈망하지 않을 것이다. 결코 다시는 다른 사람들의 연대를 보고 시샘이나 향수를 떠올리지 않을 것이다. 그리고 나는 천천히 '그 표적'을 지닌 사람들의 비밀을 전수받았다.

표적을 가진 우리는 세상의 눈에는 이상한 사람들, 위험한 광인들로 비칠지도 몰랐다. 그것도 틀린 말은 아니지만. 우리는 깨어난 사람들 혹은 깨어나는 사람들이었다. 그리고 우리의 노력은 점점 더 완벽한 깨어 있음을 지향했다. 반면 다른 사람들의 노력과 행복 추구는 그들의 의견, 그들의 이상과 의무, 그들의 삶과 행복을 점점 더 긴밀하게 패거리에 묶는 것이었다. 그곳에도 노력은 있었다. 그곳에도 힘과 위대함은 있었다. 그러나 우리의 견해로는 표적을 가진 우리는 새로운 것, 개별화된 것 그리고 미래의 것을 향한 자연의 뜻을 제시하는 반면, 다른 사람들은 고수(固守)의 의지 속에 살고 있었다. 그들에게는 인류가, 그들도 우리처럼 사랑하는 인류가 무언가 완성된 것, 보존되고 지켜져야만 하는 것이었다. 반면 우리에게는 인류가 하나의 먼 미래, 우리 모두가 향해 가는 도중에 있고, 그 모습은 아무도 모르는, 그 법칙은 그 어디에도 쓰여 있지 않은 미래였다.

에바 부인, 막스 그리고 나 말고도 우리 모임에는 다소 멀든 가깝든 간에 매우 다양한 종류의 구도자들이 있었다. 그들 중 일부는 특별한 오솔길을 걸어갔다. 뚝 떨어진 목표를 세워 놓고 특별한 의견과 의무 들에 매달렸는데, 그들 가운데는 천문학자와 카발라 연구가 들도 있었고 톨스토이 추종자도 한 사람 있었으며 온갖 종류의 다정하고 수줍어하며 상처 입을 수 있는 사람들, 새로운 소수 종파의 추종자, 요가 장려자, 채식주의자 등등이 있었다. 이런 모든 사람들과 우리는 누구든 다른 사람의 비밀스러운 꿈을 존중한다는 것 외에는 사실 정신적으로 아무것도 공유하지 않았다. 다른 사람들은 우리에게 좀 더 가까웠는데, 과거의 신(神)들이며 새로운 최고의 이상에 대한 인류의 추구를 추적하고 있어서 그들의 연구가 자주 피스토리우스를 상기시켰다. 그들은 책을 가져왔고, 고대어로 쓰인 글을 우리에게 번역해 주었으며, 옛 상징들과 의식(儀式)들의 도면을 보여 주고 보는 법을 가르쳐 주었다. 지금까지의 인류가 가졌던 모든 이상이 꿈들로, 인류가 그 가운데서 더듬거리며 미래의 가능성의 예감을 따라갔던 꿈들로 이루어져 있다는 것을 그들은 가르쳐 주었다. 기독교에의 귀의라는 방향 전환이 이루어지기까지의 경이로운, 머리가 수천 개인 고대 세계의 신들이 엉킨 덩어리를 우리는 그렇게 훑어 보았다.

고독하고 경건한 사람들의 신앙 고백은 우리가 잘 알았다. 민족에서 민족으로 이어지는 종교의 변전도 잘 알았다. 그리고 우리가 모은 모든 것에서는 우리 시대와 지금의 유럽에 대한 비판이 나왔다. 유럽은 엄청난 노력을 기울여 인류의 막강한 새로운 무기를 만들어 냈으나 마침내는 깊은, 결국 통탄할 정신의 황폐화에 빠져 버리고 말았다. 유럽은 온 세계를 획득했는데, 그러느라 자신의 영혼을 잃어버리고 말았던 것이다.

이곳에도 특정한 희망과 구원의 교리를 믿는 신도와 신봉자 들이 있었다. 유럽을 개종시키려는 불교도들이 있었고 톨스토이 추종자들이 있었으며 다른 신앙도 있었다. 작은 모임 안에서 우리는 귀 기울여 들었고 어떤 교리도 다만 상징으로 받아들였다. 미래에 어떤 모습을 줄지 근심하는 것은 우리 표적을 지닌 사람들의 책임이 아니었다. 우리가 보기에는 어떤 종교든지, 어떤 구원론이든지 애초부터 죽어 있고 무익했다. 우리가 의무이자 운명이라고 느끼는 것은 오로지 이런 것이었다. 불확실한 미래가, 그것이 가져올 어떤 것에나 우리가 준비되어 있음을 발견할 만큼 우리 누구든 그토록 완전히 자기 자신이 되고, 기꺼이 자기 속에서 작용하는 자연의 싹의 요구에 그토록 완전히 따르며 살리라는 것.

왜냐하면 이것이, 하나의 신생과 지금 것의 와해가 가까웠음을 느낄 수 있다는 사실이 이미 말했든 말하지 않았든 우리 모두의 감정 속에서 분명했기 때문이다. 데미안은 나에게 이따금씩 말했다. "지금 오는 것은 생각할 수도 없는 무엇이야. 유럽의 영혼은 무한히 오래 묶여 있던 짐승이야. 자유로워지면 그의 첫 활동은 그다지 사랑스럽지 않을 거야. 그러나 그렇게 오랫동안 거듭거듭 없는 것처럼 거짓말하고 마비시켜 놓은 영혼의 진정한 곤궁이 드러나기만 하면 어느 길로 가든 어느 우회로로 가든 그건 아무래도 괜찮아. 그때면 우리의 날이 되는 거야. 그러면 사람들이 우리를 필요로 해. 인도자나 새로운 입법자로서가 아니라(우리는 새로운 법을 살아서 겪지 못하겠지.) 오히려 뜻있는 자로, 함께 가고 운명이 부르는 곳에 서 있을 용의가 있는 사람들로 말이야. 봐, 모든 사람이 자신의 이상이 위협당할 경우 믿을 수 없는 일도 할 용의가 있어. 그러나 새로운 이상, 새로운 움직임, 어쩌면 위험하고 무시무시한 발전의 움직임이 와서 문 두드릴 때는 거기에 아무도 없어. 그때 거기 있다가 함께 갈 얼마 안 되는 사람들이 우리일 거야. 그러라고 우리에게는 표적이 찍혀 있어. 무서움과 증오를 일으켜 당시의 인류를 그 옹색한 목가적 생활로부터 끌어내 위험하게 넓은 곳으로 몰아가도록 카인에게 표적이 찍혀 있었던 것처럼 말이야. 인류가 가는 길에 영향력을 발휘한 사람들은 모두 하나같이 그들에게 닥친 운명을 받아들일 준비가 돼 있었기 때문에, 오로지 그 때문에 능력을 발휘하고 영향을 미칠 수 있었어. 그것은 모세와 부처에게 적용되고 나폴레옹과 비스마르크에게도 적용되지. 어떤 흐름에 봉사하느냐, 어떤 극(極)의 다스림을 받느냐 하는 것은 자신이 택할 수 있는 문제가 아니야. 만약 비스마르크가 사회민주주의자들을 이해하고 그들을 위해 준비돼 있었더라면 그는 현명한 신사는 될 수 있었을지 몰라도 운명의 인간은 되지 못했을 거야. 나폴레옹이 그랬고, 카이사르가 그랬고, 로욜라가 그랬어. 다들 그랬어! 그것을 늘 생물학적으로, 발전사적으로 생각해야 해! 지표 위에서 일어난 지각 변동이 물에 살던 동물을 뭍으로, 뭍에 살던 동물을 물로 던져 넣었을 때, 그때 운명에 준비된 예들이 있었지. 들어 보지도 못한 새로운 것을 완수하고 새롭게 적응하며 자신의 종(種)을 구해 낼 수 있었던 예들 말이야. 전에 그들의 종 안에서 누가 보수주의자, 현상 유지자였는지 혹은 괴짜며 혁명가였는지 우리는 지금 몰라. 다만 그들은 준비가 되어 있었고 그래서 그 모든 것 너머로 그들의 종을 건져 새로운 발전 속으로 구해 낼 수 있었어. 그 사실을 우리는 알아. 그래서 우리는 준비하고 있으려는 거야."

그런 대화들을 나눌 때 에바 부인이 자주 함께 있었다. 그러나 그녀 자신은 이런 식의 이야기를 함께 나누지 않았다. 그녀는 자신의 생각을 말하는 우리 모두에게 신뢰와 이해심이 가득한 경청자였다. 이런저런 생각이 모두 메아리처럼 그녀에게서 나와서 그녀에게 되돌아가는 듯 보였다. 그녀 가까이에 앉아서 이따금씩 그녀의 목소리를 듣고 그녀를 에워싼 성숙과 영혼의 분위기에 젖는 것이 나에게는 행복이었다.

나의 마음속에 어떤 변화가, 흐려짐이나 새로워짐이 진행되고 있으면 그녀는 즉시 그것을 느꼈다. 내가 자면서 꾼 꿈들은 마치 그녀가 불어넣어 준 영감인 것처럼 보였다. 나는 그녀에게 자주 꿈 이야기를 들려주었다. 그 꿈들은 그녀에게는 이해되고 자연스러운 것이었다. 그녀가 그 맑은 느낌으로 좇을 수 없는 것은 특별히 없었다. 한동안 나는 우리가 낮에 나눈 대화들을 그대로 옮겨 놓은 것 같은 꿈들을 꾸었다. 온 세계가 뒤흔들리는 꿈을, 나 혼자 혹은 데미안과 함께 긴장하고 위대한 운명을 기다리는 꿈을 꾸었다. 운명은 여전히 가려져 있었다. 그러나 왠지 에바 부인의 표정을 지니고 있었다. 그녀에게 선택되었든 배척당했든 그것은 운명이었다.

더러 그녀가 나에게 미소를 띠고 말했다. "당신의 꿈은 완전치 않아요, 싱클레어, 최상의 것을 잊어버렸어요." 그리하여 그다음에 그 생각이 다시 떠오르고, 어떻게 그것을 잊어버릴 수 있었는지 이해하지 못하는 일도 있었던 것 같다.

때때로 나는 만족하지 못하고 욕망에 시달렸다. 그녀를 포옹하지 않고 곁에서 바라보는 것을 더 이상 견딜 수 없다고 생각했다. 한번은 며칠 그 집에 가지 않다가 그다음에 마음이 산란한 채 다시 가니 그녀가 나를 한쪽으로 데려가서 말했다. "당신이 믿지 않는 소망들에 몰두해서는 안 돼요. 당신이 무얼 원하는지 나는 알아요. 그런 소망들을 버릴 수 있어야 합니다. 아니면 완전히 올바르게 소망하든지요. 일단 당신 자신의 마음속에서 성취를 확신하며 소망할 수 있다면, 그렇다면 성취도 있는 거예요. 그러나 당신은 소망하고, 다시 후회하고 그러면서 두려워하지요. 그 모든 것을 극복해야만 합니다. 동화 하나를 들려드리지요."

그리고 그녀는 나에게 별과 사랑에 빠진 어떤 청년의 이야기를 들려주었다. 그 청년은 바닷가에 서서 두 손을 뻗고 별에게 기도했고, 별에 대해 꿈꾸고, 그의 생각을 별에게로 기울였다. 그러나 그는 알았다. 혹은 안다고 생각했다. 별은 인간의 포옹을 받을 수 없다는 것을. 그는 성취하리라는 희망도 없이 별을 사랑하는 것을 자신의 운명으로 여겼다. 그리고 그는 이 생각에서 포기와 말과 변함이 없는 고통, 자신을 개선하고 정화할 고통에 관한 삶 전체를 다룬 시를 지었다. 그의 꿈들은 그러나 모두 별에게로 쏠렸다. 한번은 그가 다시 밤에 바닷가 높은 절벽에 서서 별을 쳐다보며 별에 대한 사랑으로 불타고 있었다. 그런데 극도로 커진 그리움의 한순간 그는 별을 향해 펄쩍 뛰어 허공으로 몸을 던졌다. 그러나 뛰는 순간 번개같이 퍼뜩 그를 스쳐 가는 생각이 있었다. 이건 있을 수 없는 일이야! 결국 그는 바닷가에 떨어져 으스러지고 말았다. 그는 사랑을 이해하지 못했다. 만약 뛰어드는 순간에 성취를 굳건하게, 확실하게 믿는 영혼의 힘을 가졌더라면, 그는 위로 날아올라 별과 하나가 되었을지도 모른다.

"사랑은 간청해서는 안 돼요." 그녀가 말했다. "강요해서도 안 됩니다. 사랑은 그 자체 안에서 확신에 이르는 힘을 가져야 해요. 그러면 사랑은 더 이상 끌리지 않고 스스로 끕니다. 싱클레어, 당신의 사랑은 나에게 끌리고 있어요. 언젠가 내가 아니라 당신의 사랑이 나를 끌면, 그러면 내가 갈 거예요. 나는 선물을 주지는 않겠어요. 쟁취되겠습니다."

그러나 다음번에 그녀는 다른 동화를 들려주었다. 희망 없이 사랑하는 연인이 한 명 있었다. 그는 그 자신의 영혼 속으로 완전히 되돌아가 사랑에 다 타 버리고 있다고 생각했다. 그에게는 세상이 없어져 버렸다. 그는 푸른 하늘도 초록 숲도 더는 보지 않았다. 개울물도 그에게는 소리를 내지 않았고, 하프도 그에게는 울리지 않았다. 모든 것이 가라앉았으며 그는 가없고 비참해졌다. 그러나 그의 사랑은 커 갔다. 사랑하는 그 아름다운 여인을 소유하지 못하니 차라리 죽어 썩어 버렸으면 했다. 그때 그는 자신의 사랑이 그의 마음속의 다른 것을 모두 불태워 버렸음을 감지했다. 사랑은 힘이 강해져 당기고 당겼으며 아름다운 여인은 따를 수밖에 없었다. 그녀가 왔다. 그는 두 팔을 활짝 벌리고 서서 그녀를 자기에게 끌어당겼다. 그러나 그녀가 그 앞에 섰을 때 그녀의 모습은 완전히 달라져 있었다. 자기가 잃어버린 모든 세계를 자기에게 끌어당겨 놓았음을 그는 전율하며 느끼고 보았다. 그녀가 그 앞에 서서 그에게 자신을 헌신했다. 하늘과 숲 그리고 개울, 모든 것이 새로운 색깔로 신선하고 찬란하게 그를 마주해 왔다. 그것들은 그의 것이었고 그의 언어로 말했다. 그리고 그는 그저 한 여자를 얻는 대신 마음속에 온 세계를 소유했다. 하늘의 별 하나하나가 그의 안에서 불타고 그의 영혼을 통해 기쁨의 빛을 뿜어냈다. 그는 사랑했고 그러면서 자신을 발견했다. 그러나 대부분의 사람들은 사랑하면서 자신을 잃어버린다.

에바 부인에 대한 사랑이 내 삶의 단 하나의 내용처럼 보였다. 그러나 그녀는 날마다 달라 보였다. 더러 나는 나의 본질이 이끌려 지향해 가는 것이 그녀라는 인물이 아니고 그녀는 다만 나 자신의 내면의 한 가지 상징이며 나를 다만 나 자신 속으로 더 깊게 인도하려 한다는 것을 확실하게 느낀다고 생각했다. 나는 나를 뒤흔드는 화급한 물음들에 대한 나의 무의식의 대답처럼 들리는 말을 자주 그녀로부터 들었다. 그다음에는 다시 내가 그녀 곁에서 관능적 욕구로 불타며 그녀에게 닿았던 물건들에 입 맞추는 순간들이 있었다. 그리고 점차 관능적이며 비관능적인 사랑이, 현실과 상징이 서로 포개지며 밀려왔다. 그다음에는 내가 내 방에서 고요하고 열렬하게 그녀를 생각하면, 그럴 때 그녀의 손이 나의 손에, 그녀의 입술이 내 입술 위에 느껴진다고 생각하는 일이 있었다. 혹은 내가 그녀의 집에서 그녀의 얼굴을 보고, 그녀와 말하고, 그녀의 목소리를 듣고 있으면서도 그녀가 정말로 그곳에 있는지, 꿈은 아닌지 잘 분별할 수 없기도 했다. 어떻게 하나의 사랑을 지속적으로, 불멸하게 소유할 수 있는지 나는 예감하기 시작했다. 나는 어떤 책을 읽다가 새로운 인식을 갖게 되었는데, 그것은 에바 부인의 입맞춤 같은 느낌이었다. 그녀가 내 머리카락을 쓰다듬고, 나에게 그녀의 성숙하고 향내 나는 온기를 미소로 보내 주었을 때 나는 마치 내가 나 자신 안에서 한 걸음 진보를 이루어 냈을 때와 똑같은 느낌을 가졌다. 나에게는 운명이자 중요한 것이 모두 그녀의 모습을 가졌다. 그녀의 모습이 내 생각 하나하나 속으로 녹아들고, 내 생각 하나하나가 그녀 속으로 들어갔다.

부모님 집에서 지낸 성탄절 휴가 때 나는 두려웠다. 두 주일이나 에바 부인으로부터 떨어져 살아야 하는 것은 틀림없이 고통스러우리라 생각했기 때문이다. 그러나 그것은 큰 고통이 아니었다. 집에 있으면서 그녀를 생각하는 것은 근사했다.

H시로 되돌아오고 나서도 나는 이틀 동안 그녀의 집에 가지 않았다. 이 안정과 그녀의 감각적 현존으로부터의 독립을 누리기 위해서였다. 또한 나는 그녀와 나의 결합이 새롭고 비유적인 방식으로 완수되는 꿈을 꾸었다. 그녀는 바다였고, 나는 그 안으로 흘러들고 있었다. 그녀는 별이었고, 나 자신도 별로서 그녀에게로 가고 있었는데, 우리는 만났고 우리가 서로를 끌어당겼음을 느꼈다. 우리는 함께 머물렀고 희열에 차 서로 가까이에서 소리가 울리는 원을 영원히 돌았다.

처음으로 다시 찾아갔을 때 나는 이 꿈을 그녀에게 이야기해 주었다.

"그 꿈 아름다운데요." 그녀가 조용히 말했다. "그 꿈을 실현하세요."

이른 봄날 결코 잊을 수 없는 하루가 있었다. 나는 현관홀로 들어섰다. 창문이 열려 있었고 한 줄기 미풍이 히아신스의 짙은 향기를 온 방 안에 퍼뜨리고 있었다. 아무도 보이지 않아 나는 계단을 올라 막스 데미안의 서재로 들어갔다. 늘 익숙했던 대로 가볍게 문을 두드리고 대답을 기다리지 않고 들어섰다.

방은 어두웠다. 커튼이 모두 쳐져 있었다. 막스가 화학 실험실을 설비해 놓은 작은 곁방으로 통하는 문이 열려 있었다. 거기서부터 봄 태양의 환한 흰 빛이 비구름을 뚫고 빛났다. 나는 아무도 없다고 생각하고 커튼을 젖혔다.

그곳의 작은 걸상, 커튼 쳐진 창 가까이에 막스 데미안이 기이하게 변해서 웅크리고 앉아 있었다. 한 가지 생각이 번개처럼 나를 스치고 갔다. 이미 한 번 본 모습이다! 두 팔은 꼼짝도 않고 늘어져 있었다. 두 손은 무릎에, 약간 앞으로 숙인 채두 눈을 뜬 얼굴은 시선이 없고 죽어 있었다. 동공 속에서는마치 유리 조각에서처럼 번들거리는 작은 빛이 반사되어 번쩍였다. 창백한 얼굴은 스스로에 침잠했는데, 엄청난 응결 말고는 다른 표정이 없었다. 그 얼굴은 마치 사원 현관에 있는 태곳적 동물의 가면처럼 보였다.

기억이 나를 전율케 했다. 저렇게, 꼭 저렇게 하고 있는 그의 모습을 여러 해 전, 내가 아직 어린 소년일 때 벌써 한 번본 적이 있었다. 두 눈은 저렇게 내면을 향해 응결되어 있었다. 그때도 두 손은 저렇게 생명 없이 나란히 가지런히 놓여있었다. 파리 한 마리가 그의 얼굴 위를 기어갔더랬다. 또 당시에도, 아마 여섯 해쯤 전일 텐데, 바로 저렇게 늙고 저렇게 시간을 초월한 듯 보였다. 얼굴의 주름 하나도 오늘과 다르지 않았다.

두려움이 엄습해서 나는 가만히 방을 나가 층계를 내려갔다. 현관홀에서 에바 부인을 만났다. 그녀는 창백하고 지쳐 보였다. 그녀에게서 보지 못하던 모습이었다. 그림자 하나가 창문을 스쳐 갔다. 눈부신 흰 태양이 갑자기 사라졌다.

"막스 형한테 갔다 왔어요." 내가 얼른 낮은 소리로 말했다. "무슨 일이 있었나요? 형은 자고 있어요. 아니면 침잠해 있어요. 잘 모르겠어요, 전에도 한 번 저런 모습을 봤어요."

"그 앨 깨우진 않았죠?" 그녀가 급하게 물었다.

"네. 제 소릴 듣지 못했어요. 저는 얼른 다시 나왔고요. 에바 부인, 말해 주세요. 형이 왜 그런 거죠?"

"진정해요, 싱클레어. 그 애한테 아무 일도 일어나지 않았어요. 돌아가 있는 거랍니다. 오래 걸리지 않을 거예요."

그녀가 일어나 비가 오는데도 정원으로 나갔다. 함께 가서는 안 될 것 같았다. 그래서 나는 현관홀에서 왔다 갔다 했다. 히아신스의 마비시키는 향내를 맡았다. 문 위에 있는 나의 새 그림을 응시하고 마음 조이며 그날 아침 이 집을 채우고 있던 기이한 그림자를 호흡했다. 그것은 무엇이었을까? 무슨 일이 일어났을까?

에바 부인은 곧 돌아왔다. 빗방울이 그녀의 짙은 색 머리카락에 방울방울 맺혀 있었다. 그녀가 자신의 안락의자에 앉았다. 피로가 그녀의 온몸을 뒤덮고 있었다. 나는 그녀 곁으로 다가서 그녀 위로 몸을 숙이고 그녀의 머리카락에 매달린 물방울들을 입 맞추어 떼어 냈다. 그녀의 두 눈은 환하고 고요했다. 그러나 물방울에서 눈물 같은 맛이 났다.

"형을 살펴보고 올까요?" 내가 나직이 물었다.

그녀는 힘없이 미소 지었다.

"어린아이처럼 굴지 마요, 싱클레어!" 자신 안의 어떤 마력을 깨뜨리기 위해서인 듯 그녀가 강하게 경고했다. "지금은 가고 나중에 다시 오세요. 지금은 같이 이야기할 수가 없네요."

나는 떠났고 집을 나와 도시를 지나 산으로 빨리 걸어갔다. 비스듬히 내리는 성긴 비가 나를 향해 떨어졌다. 구름이 무거운 압력을 받으며 불안에 싸인 듯 낮게 흘러갔다. 아래쪽에서는 거의 바람이 불지 않았는데, 높은 곳에서는 폭풍이 부는 것 같았다. 이따금 잠깐씩 금속빛 어두운 구름장에서 햇살이 창백하면서도 눈부시게 비쳐 나왔다.

그때 하늘 저편에서 노란빛 엷은 구름 한 조각이 떠왔다. 그 구름은 잿빛 벽에 막혀 더 가지 못하고 멈추어 있더니 몇 분 지나지 않아 노란빛과 푸른빛에서 하나의 형상을 만들었다. 거대한 새의 모습이었다. 그 새는 푸른 혼돈을 찢어 떨치고 크게 날갯짓하며 하늘 속으로 사라졌다. 그러더니 다시 폭풍우 소리가 들리고, 비가 우박과 섞여 요란하게 타다닥 소리를 내며 쏟아져 내렸다. 믿을 수 없을 정도로 무서운 소리를 내는 짧은 천둥 번개가 채찍질당한 풍경 위에서 와지끈 부서졌다. 그 후 곧바로 다시 한 줄기 밝은 빛이 구름을 뚫고 비쳤고, 갈색 숲 너머 가까운 산들 위에서 파리하고 비현실적으로 창백한 눈이 빛나고 있었다.

몇 시간 뒤 젖고 창백해져서 돌아가니 데미안이 직접 현관문을 열어 주었다.

그가 나를 자기 방으로 데리고 올라갔다. 실험실에서는 가스 불꽃이 타고 있었고, 종이가 여기저기 널려 있었다. 그는 일을 하고 있었던 것 같았다.

"앉자." 그가 권했다. "피곤하겠는데, 형편없는 날씨군. 바깥에 한참 있었나 본데. 곧 차를 가져올 거야."

"오늘 뭔가가 시작됐어." 내가 망설이며 말했다. "이런 건 단순한 천둥 번개일 수 없어."

그가 나를 탐색하듯 바라보았다.

"무언가를 보았어?"

"응. 구름 속에서 한순간 분명하게 하나의 형상을 보았어."

"무슨 형상?"

"새였어."

"매? 그거였지? 네 꿈의 새였지?"

"맞아, 그건 내 매였어. 노란색이고 거대했는데 검푸른 하늘 속으로 날아갔어."

데미안이 깊은 숨을 내쉬었다.

노크 소리가 났다. 늙은 하녀가 차를 가져왔다.

"들어 봐, 싱클레어. 네가 그 새를 우연히 본 게 아니라고 생각하는데?"

"우연히? 그런 것들을 우연히 볼 수 있어?"

"좋아, 그럴 수 없지. 거기에는 무언가 뜻이 있지. 무슨 뜻인지 알겠니?"

"아니. 그 뜻이 어떤 충격이라는 것, 운명 속의 한 걸음이라는 것만은 느끼겠어. 우리 모두의 문제인 것 같아."

그가 격하게 이리저리 오갔다.

"운명 속의 한 발자국이라고!" 그가 크게 외쳤다. "똑같은 것을 나는 지난밤에 꿈꾸었어. 우리 어머니는 어제 예감을 느끼셨고. 그것도 같은 의미였어. 꿈속에서 내가 나뭇등걸인가 탑에 놓인 어떤 사다리를 타고 위에 올라가니 온 나라가 보였어. 그것은 커다란 평지였는데 도시들과 마을들이 있는 온 나라가 불타고 있는 거야. 나는 아직 다 이야기해 주지 못하겠어. 아직 내게도 분명하지 않거든."

"그 꿈을 자신과 관련지어 해석해?" 내가 물었다.

"자신과 관련짓느냐고? 물론이지. 아무도 자기하고 관계없는 꿈을 꾸지는 않아. 그러나 나만 관계되는 것도 아냐. 그 점에서는 네가 옳아. 난 꿈들을 꽤 정확하게 구분하지. 나 자신의 영혼 속의 움직임을 알려 주는 꿈들과 다른 꿈들, 매우 드물지만 온 인류의 운명이 암시되는 꿈들을 말이야. 그런 꿈들은 매우 드물게 꾸고, 예언이었으며 성취되었다고 말할 만한 꿈은 한 번도 꾸지 않았어. 해석은 너무도 불확실하지. 그러나 그건 분명히 알아. 나는 나 혼자만 관련된 게 아닌 무언가를 꿈꾸었어. 그 꿈은 전에 꾼 꿈의 속편이었는데 예전의 꿈이 계속되었어. 이런 꿈이었어, 싱클레어. 거기서 내가 느낀 예감은, 전에도 말했지만 우리의 세계는 정말 썩어 있다는 거야. 우린 알지. 그렇지만 그건 몰락이나 그 비슷한 걸 예언할 이유는 못 될 거야. 그러나 몇 년째 꿈들을 꾸었는데, 거기서 추론하거나 느끼는 혹은 무엇이든 간에, 거기서 내가 느끼는 것은 낡은 한 세계의 와해가 가까이 다가오고 있다는 거야. 처음에는 아주 약하고 멀리 떨어진 예감이었어. 그러나 점점 더 분명하고 강해졌어. 아직 내가 아는 건 나 자신에게도 관련된 무언가 큰 것, 무서운 것이 저벅저벅 다가오고 있다는 것뿐이야. 싱클레어, 우리는 우리가 이따금씩 이야기한 것을 겪게 될 거야! 세계가 새로워지려 해. 죽음의 냄새가 나. 그 어떤 새로운 것도 죽음 없이 오지 않아. 내가 생각했던 것보다 더 충격적이야."

나는 놀라서 그를 응시했다.

"형의 꿈의 나머지를 이야기해 줄 수 없겠어?" 내가 수줍게 청했다.

그가 고개를 가로저었다.

"못 하겠어."

문이 열리고 에바 부인이 들어왔다.

"여기 함께 있구나! 얘들아, 너희 슬퍼하는 건 아니겠지?"

그녀는 산뜻해 보이고, 이제 더 이상 전혀 피곤해 보이지 않았다. 데미안이 그녀에게 미소 지어 보였다. 어머니가 겁먹은 아이들에게로 가듯 그녀가 우리에게 왔다.

"슬프지는 않아요, 어머니. 저희는 다만 이 새로운 표적의 수수께끼를 약간 풀어 보려 했어요. 그러나 거기에는 아무것도 없네요. 오려고 하는 것은 갑자기 와 있을 겁니다. 그러면 우리가 알아야 할 것을 겪게 되겠지요."

나는 기분이 언짢았다. 작별 인사를 하고 혼자 현관홀을 지나가는데, 히아신스 향기가 시들고 맥 빠지고 시체같이 느껴졌다. 그림자 하나가 우리 위에 드리웠던 것이다.

# 종말의 시작

나는 여름 학기에도 H시에 머물 수 있게 해 놓았다. 우리는 이제 거의 언제나 집에 있는 대신 강가의 정원에 있었다. 레슬링 시합에서 보기 좋게 진 일본인은 떠났고, 톨스토이 추종자도 없었다. 데미안은 날이면 날마다 끈질기게 말을 타고 돌아다녔다. 나는 자주 그의 어머니와 단둘이 있었다.

이따금씩 내 삶의 평화로움에 놀라곤 했다. 나는 워낙 오래 홀로 있었고, 포기를 연습하고, 나 자신의 고통으로 힘들게 허우적거리는 데 익숙했던 터라 H시에서의 이 몇 달은 꿈의 섬처럼 느껴졌다. 그곳에서 나는 요술에 걸린 듯 편안하게 오직 아름답고 유쾌한 일과 생각 들 속에서 살 수 있었다. 이것이 우리가 구상하는 보다 높은 새로운 공동체의 전조임을 예감하고 있었다. 나는 넘치는 만족과 쾌적함 속에서 숨 쉬도록 태어난 사람이 아니었다. 고통과 쫓김이 필요했다. 언젠가 이 아름다운 사랑의 영상에서 깨어나 오로지 고독과 싸움뿐인, 평화나 공존이란 없는 타인들의 차가운 세계 속에서 홀로, 다시 온전히 홀로 서게 되리라는 것을 느끼고 있었다.

그래서 나는 내 운명이 아직도 이 아름답고 고요한 얼굴을 지니고 있다는 데 기뻐하며 갑절의 다정함으로 에바 부인에게 바짝 다가갔다.

여름 몇 주일은 빠르고 쉽게 흘러갔다. 여름 학기가 벌써 끝나 가고 있었다. 이별이 곧 닥칠 터였다. 나는 그것을 생각해서는 안 됐고 생각하지도 않았다. 나비가 꿀이 많은 꽃에 매달려 있듯 나는 아름다운 나날에만 매달려 있었다. 그것은 나의 행복한 시절이었다. 내 인생의 첫 성취였으며 동맹에 받아들여진 것이었다. 그다음에는 무엇이 올까? 나는 어쩌면 다시 싸워 나가리라, 그리움으로 괴로우리라, 꿈을 꾸리라, 혼자이리라.

이 나날 중의 어느 날 이런 예감이 너무도 강렬하게 엄습하여 에바 부인에 대한 나의 사랑이 갑자기 고통스럽도록 활활 타올랐다. 맙소사, 나는 이제 곧 그녀를 더 이상 보지 못할 것이다. 그녀의 안정되고 다정한 발걸음이 집 안을 거니는 소리를 다시는 듣지 못할 것이며 내 책상 위에는 더 이상 그녀의 꽃이 없으리라. 그런데 내가 무엇에 도달했던가? 나는 꿈꾸었고 행복에 잠겨 흔들렸다. 그녀를 획득하는 대신, 그녀를 얻기위해 싸우는 대신, 그녀를 영원히 내게로 단숨에 끌어오는 대신! 그녀가 일찍이 진정한 사랑에 대해 내게 한 모든 말이 떠올랐다. 그 많은 다정하면서도 경고하는 말들, 그 많은 나직한 유혹들, 어쩌면 약속들이. 그것으로 내가 무엇을 이루었는가? 아무것도! 아무것도 이룬 것이 없었다!

나는 내 방 한가운데 서서 모든 의식을 모아 에바 부인을 생각했다. 내 영혼의 힘들을 한데 모으려 했다. 내 사랑이 느껴지도록, 그녀를 내게로 끌어당기도록. 그녀가 와서 나의 포옹을 열망해야 했다. 나의 입맞춤이 그녀의 성숙한 사랑의 입술을 끝없이 헤쳐야 했다.

나는 서서 손가락과 발부터 싸늘해질 때까지 긴장했다. 내게서 힘이 빠져나가는 것을 느꼈다. 잠시 내 속의 무언가가 단단하고도 긴밀하게 한데 모였다, 무언가 밝고도 환한 것이. 나는 잠시 심장에 수정 한 덩이를 지니고 있는 듯한 느낌이었다. 그리고 그것이 나의 자아라는 것을 알았다. 냉기가 가슴까지 차올랐다.

무서운 긴장에서 깨어났을 때 무언가가 오는 것 같은 느낌이 들었다. 죽도록 탈진해 있었으나 에바 부인이 방 안으로 들어오는 것을 바라볼 준비가 되어 있었다. 불타오르며 황홀하게.

그때 따가닥따가닥 말 달리는 소리가 긴 길에서 망치 치듯 다가왔고, 가까이에서 거세게 울리다가 갑자기 멈추었다. 나는 창가로 뛰어갔다. 밑에서 데미안이 말에서 내리고 있었다. 나는 달려 내려갔다.

"무슨 일이야, 형? 어머니께 무슨 일이 있는 건 아니겠지?"

그는 내 말을 귀담아듣지 않았다. 몹시 창백했으며 땀이 이마 양쪽에서 뺨으로 흘러내리고 있었다. 그가 열로 달아오른 말의 고삐를 정원 울타리에 매고는 내 팔을 끼고 함께 거리를 걸어 내려갔다.

"벌써 소식 들었니?"

나는 아무것도 몰랐다.

데미안은 내 팔을 누르며 어둡고 연민에 찬 특별한 눈길로 나에게 얼굴을 돌렸다.

"그래, 이봐, 이제 시작된 거야. 러시아와의 긴장이 고조되었다는 건 알았겠지."

"그러면? 전쟁이 난 거야? 그러리라 믿진 않았는데."

가까이에 아무도 없건만 그가 나직하게 말했다.

"아직 선포되지는 않았어. 그러나 전쟁이 일어날 거야. 믿어. 지금껏 이 일로는 널 더 번거롭게 하지 않았어, 그러나 그때부터 나는 새로운 징후를 세 번 보았어. 그러니까 세계의 몰락도 아니고, 지진도 아니고, 혁명도 아닐 거야. 전쟁일 거야. 그것이 어떻게 닥치는지 나도 보겠지! 기뻐들 하겠지. 벌써부터 다들 한번 터지기를 바라며 기뻐하고 있어. 그들에게는 삶이 그토록 맥없어져 버린 거야. 그러나 넌 보게 될 거야, 싱클레어. 이건 다만 시작이야. 어쩌면 큰 전쟁이 될 거야, 몹시 큰 전쟁이. 그러나 이것도 그저 처음에 불과해. 새로운 것이 시작되지. 새로운 것이란 낡은 것에 매달린 사람들에게는 충격적이겠지. 넌 무얼 할 거니?"

나는 당혹스러웠다. 그 모든 것이 나에게는 아직 낯설고 믿어지지 않게 들렸다.

"모르겠는데, 형은?"

그가 어깨를 으쓱했다.

"동원령이 내리면 곧바로 들어가야 해. 난 대위거든."

"형이? 그건 전혀 몰랐는데."

"그래, 그것이 내 적응의 한 형태였어. 알아. 난 겉으로는 눈에 띄는 것을 좋아하지 않아. 그리고 늘 행동이 다소 지나쳐 정확하지 못한 편이지. 한 주일 이내에 벌써 나는 전장에 서 있을 거야."

"맙소사."

"자아, 이봐, 일을 감상적으로 생각해서는 안 돼. 살아 있는 사람을 향해 총을 겨누도록 지휘하는 것이 근본적으로 내게 즐거울 리 없지. 그러나 그건 부차적일 거야. 이제는 우리 모두 큰 수레바퀴 안으로 들어와 버렸어. 너도. 너도 분명 징집될 거야."

"그럼 형 어머니는?"

그제야 나는 다시 십오 분 전에 있었던 일을 생각해 냈다. 세계가 얼마나 변했는지! 나는 가장 감미로운 영상을 불러내기 위해 모든 힘을 한데 모았더랬다. 그런데 이제 나는 운명이 갑자기 새롭게, 위협적으로 무시무시한 가면을 쓰고 나를 바라보는 것을 보았다.

"우리 어머니? 아, 어머니 걱정은 할 필요 없어. 어머니는 안전하셔. 지금 세상에 있는 그 누구보다도 더 안전하셔. 어머니를 그토록 사랑하니?"

"형도 알았어?"

그가 환하게 껄껄 웃었다.

"어린아이로군! 물론 알았지. 사랑하지도 않으면서 우리 어머니한테 에바 부인이라고 말한 사람은 아무도 없었어. 아무튼, 어땠어? 네가 어머니나 나를 오늘 부른 거지, 안 그래?"

"그래, 내가 불렀어. 에바 부인을 불렀어."

"어머니가 들으셨어. 갑자기 나를 보내셨거든, 너한테 가 봐야 한다고. 어머니께 방금 러시아에 대한 소식을 들려드린 참이었는데 말이야."

우리는 돌아섰다. 별로 더 많이 이야기하지 않았다. 그는 울타리에 매어 두었던 말고삐를 풀고 말에 올라탔다.

나는 위층 내 방으로 돌아가 내가 얼마나 지쳐 있는지 비로소 감지했다. 데미안이 전한 소식 그리고 그보다 조금 전의 긴장 때문이었다. 그러나 에바 부인이 내 소리를 들었다! 내 생각으로 마음속에서 그녀에게 가 닿은 것이다. 그녀 자신이 왔더라면 좋았을 텐데. 그러지 않았더라도 이 모든 것은 얼마나 특별한가, 근본적으로 얼마나 아름다운가! 이제 전쟁이 일어날 것이다. 우리가 이미 여러 번 이야기한 것이 이제 일어나기 시작한 것이리라. 그리고 데미안은 그것에 대해 그 많은 것을 미리 알고 있었다. 얼마나 기이한가, 지금 세계의 흐름이 더 이상은 그 어딘가에서 우리를 스쳐 가지 않는다는 것이, 그것이 지금 갑자기 우리의 가슴 한가운데를 뚫고 간다는 것이, 모험과 거친 운명 들이 우리를 부르며, 지금 아니면 머지않아 세계가 우리를 필요로 하고 스스로를 변모시키려는 순간이 온다는 것이. 데미안이 옳다. 그것은 감상적으로 받아들일 일이 아니었다. 그토록 외로운 일인 '운명'을 내가 이제 그토록 많은 사람들과, 온 세계와 공동으로 체험해야 한다는 것이 이상할 따름이었다. 그럼 좋다!

나는 준비가 되어 있었다. 저녁에 시내를 지나갈 때 구석 구석이 큰 흥분으로 들끓고 있었다. 어디서나 '전쟁'이란 말이 들려왔다!

나는 에바 부인 집으로 갔다. 우리는 정원의 정자에서 저녁을 먹었다. 내가 유일한 손님이었다. 전쟁에 대해서는 아무도 말하지 않았다. 다만 늦게, 내가 떠나기 직전에 에바 부인이 말했다. "사랑하는 싱클레어, 오늘 날 불렀지요. 내가 왜 직접 가지 못했는지는 알겠지요. 그러나 잊지 마요. 당신은 이제 부름을 알아요, 언제든 표적을 지닌 누군가가 필요하거든 그때 다시 불러요!"

그녀가 일어나 뜰의 어스름을 뚫고 앞서 갔다. 그 비밀에 찬 여인은 당당하게 왕녀처럼 말 없는 나무들 사이를 걸어갔다. 그녀의 머리 위에서 조그맣고 사랑스럽게 많은 별이 빛나고 있었다.

내 이야기는 곧 끝난다. 사태는 급격히 진전되었다. 곧 전쟁이 있었고 데미안은 제복에 은회색 외투를 입은 놀랍게 낯선 모습으로 떠났다. 나는 그의 어머니를 집까지 바래다주었다. 곧 그녀와도 작별했다. 그녀가 내 입에 키스하고 한순간 나를 가슴에 안았다. 그녀의 큰 눈이 가까이에서 흔들림 없이 내 눈 속으로 타 들어왔다.

모든 사람이 형제가 된 것 같았다. 그들은 조국과 명예를 말했다. 그러나 그것은 운명이었다. 그들 모두가 한순간 운명의 숨김없는 얼굴을 들여다보았다. 젊은 남자들은 병영에서 나와 기차에 올랐다. 그리고 많은 얼굴들에서 나는 표적을(우리의 표적이었다.), 아름답고 가치 있는 표적을 보았다. 사랑과 죽음을 의미하는 것이었다. 나 역시 한 번도 본 적 없는 사람들의 포옹을 받았다. 나는 그것을 이해했고 기꺼이 응답했다. 그들이 그렇게 하는 것은 일종의 도취였다. 운명의 뜻이 아니었다. 그러나 도취란 신성하다. 그들 모두가 이 짧고 뒤흔드는 시선으로 이미 운명의 두 눈을 들여다보았기 때문이다.

내가 전장으로 갔을 때는 이미 거의 겨울이었다.

처음에 나는 총격의 선정성에도 불구하고 모든 것에 실망했다. 예전에 나는 한 인간이 하나의 이상을 위해 살 수 있는 일이 왜 그렇게 극단적으로 드문지에 대해 많이 생각해 보았다. 지금 나는 많은 사람들, 아니 모든 사람이 이상을 위해 죽을 수 있다는 것을 알았다. 다만 그것은 개인적 이상, 자유로운 이상, 선택한 이상이 아니었다. 그것은 떠맡겨진 공통의 이상이었다.

그러나 시간이 가면서 내가 인간을 과소평가했음을 알았다. 그렇게 봉사와 공통의 위험이 제아무리 제복을 입혀 그들을 획일화해 놓았어도 나는 많은 사람들, 살아 있는 사람들, 죽어 가는 사람들이 운명의 의지에 눈부시도록 접근하는 것을 보았다. 많은, 아주 많은 사람들이 공격 때문만이 아니라 언제나 확고하고 먼, 약간 신들린 듯한 눈빛을 지니고 있었다. 그런 시선은 목적 외에는 아무것도 모르며 엄청난 것에 몰두해 있음을 뜻한다. 이런 사람들은 그들이 무엇을 원하든 믿고 생각한다, 자기들이 준비되어 있고, 쓸모 있다고, 그들에 의해 미래가 형성되리라고. 그리고 세계가 점점 더 경직되어 전쟁과 영웅주의에, 명예와 다른 낡은 이상에 맞춰져 있는 듯 보일수록 더 요원하게 그리고 더 거짓말처럼 외면적인 인간성의 목소리가 하나하나 울렸다. 이 모든 것은 다만 표면이었다. 전쟁의 외적이고 정치적인 목적들에 대한 물음이 표면에 그치듯이. 깊은 곳에서는 무언가가 생성되고 있었다. 새로운 인간성 같은 무엇이. 왜냐하면 많은 사람들을 볼 수 있었으며 그들 중 어떤 사람들은 바로 내 곁에서 죽었기 때문이다. 그들에게는 미움과 분노, 살육과 말살이 대상에 매여 있지 않다는 통찰이 느껴졌다. 아니다. 대상들은 목표들과 마찬가지로 완전히 우연이었다. 근원적인 느낌, 가장 거친 느낌들도 적에게 향해 있지 않았다. 그들의 유혈의 위업은 오로지 내면의, 그 자체 안에서 산산이 파열된 영혼의 발산이었다. 새로 태어날 수 있도록 광분하여 죽이고, 말살하고, 죽으려는 영혼의 발산이었다. 거대한 새가 알에서 나오려고 투쟁하고 있었다. 알은 세계였고 세계는 짓부서져야 했다.

어느 이른 봄날 밤 나는 우리가 점령한 농가 앞에서 보초를 서고 있었다. 가끔씩 미풍이 불었다. 플랑드르의 높은 하늘에 구름 떼가 몰려가고 있었다. 그 구름 뒤 어디쯤엔가 달이 있으리라는 예감이 들었다. 벌써 온종일 나는 불안했다. 그 어떤 근심이 내 마음을 어수선하게 했다. 지금 어두운 지정된 내 자리에서 보초를 서며 나는 간절하게 내가 지금껏 살아온 삶의 영상들을, 에바 부인을, 데미안을 생각했다. 포플러에 기대 요동치는 하늘을 응시했다. 남모르게 움칫거리는 하늘의 밝음이 곧 솟구치는 커다란 형상들의 연속이 되었다. 내 맥박이 기이하게 엷어진 데서, 내 살갗이 바람과 비에 둔감해진 데서, 섬광을 내는 내면의 깨어 있음에서 나는 내 주위에 어떤 인도자가 있음을 감지했다.

구름 속에서 커다란 도시를 볼 수 있었다. 거기서 수백만의 사람이 쏟아져 나왔고, 그들은 떼를 지어 넓은 풍경 위로 퍼져 갔다. 그들 한가운데서 힘찬 신의 모습이 나왔다. 머리에는 빛을 뿜는 별을 달고, 산처럼 크고, 에바 부인의 표정을 가지고. 그 모습 속으로 인간의 대열들이 거대한 동굴 속으로 빨려들듯 사라졌다. 그러고는 사라졌다. 여신은 바닥에 내려앉았다. 그녀의 이마에서 표적이 환하게 빛을 내고 있었다. 하나의 꿈이 그녀를 지배하는 힘을 가진 듯 보였다. 그녀가 두 눈을 감았다. 그녀의 큰 얼굴이 고통으로 일그러졌다. 갑자기 그녀가 맑고 높은 소리로 외쳤다. 그녀의 이마에서 별들이 튀어나왔다. 수천 개의 빛나는 별들이. 그 별들은 찬란한 포물선을 그리며 검은 하늘 저편으로 휘익 떨어졌다.

별들 중 하나가 환한 음을 내며 똑바로 나를 향해 씽 날아왔다. 나를 찾고 있는 것 같았다. 그러더니 별이 요란한 소리를 내며 수천 개의 불꽃으로 쪼개져서 나를 획 끌어올렸다가 다시 땅바닥으로 내동댕이쳤다. 천둥 같은 소리를 내며 내 머리 위에서 세계가 무너졌다.

나는 포플러 가까이에서 흙과 상처로 뒤덮인 채 발견됐다.

나는 어느 지하실에 누워 있었다. 머리 위에 포화가 퍼붓고 있었다. 나는 어느 수레에 누워 덜컹덜컹 빈 벌판을 지나갔다. 대체로 나는 잠을 자거나 의식이 없었다. 그러나 깊이 자면 잘 수록 무언가가 나를 끌어당김을, 나를 지배하는 주인인 어떤 힘을 내가 따르고 있음을 더 격렬하게 느꼈다.

나는 어느 외양간 짚더미 위에 누워 있었다. 어두웠다. 누군 가가 내 손을 밟고 갔다. 그러나 나의 내면적인 것은 더 나아 가려 했다. 그것이 더 강하게 나를 끌고 갔다. 다시 나는 수레 위에 누웠다. 나중에는 들것 혹은 사다리에 누웠다. 점점 더 그 어딘가로 가라고 명령받고 있음을 느꼈다. 마침내 그곳으 로 가려는 충동 말고는 아무것도 느끼지 못했다.

그때 나는 목적지에 도착해 있었다. 밤이었다. 의식은 분명 했다. 이제 막 내 안의 끌림과 충동이 힘차게 느껴지던 참이었 다. 이제 나는 넓은 홀에, 바닥에 깔린 자리에 누워 있었다. 내 가 부름받은 곳에 와 있다는 느낌이었다. 주위를 바라보았다. 내 매트리스 바로 옆에 다른 매트리스가 바싹 붙어 놓여 있었 고 누군가가 그 위에 있었다. 그 사람이 앞으로 몸을 숙이고 나를 바라보았다. 이마 위에 그 표적이 있었다. 그것은 막스 데미안이었다.

나는 말할 수 없었다. 그는 말할 수 없었거나 말하려고 하 지 않았다. 다만 나를 바라보았다. 그의 얼굴에는 그 너머 벽 에 달려 있는 신호등 불빛이 드리워 있었다. 그가 나를 향해 미소 지었다.

그는 무한히 긴 시간 동안 내 눈을 계속 들여다보았다. 천 천히 그가 얼굴을 내게 더 가까이 밀었다. 우리가 거의 닿을 때까지.

"싱클레어!" 그가 나직이 말했다.

나는 눈으로 그의 말을 알아들었다는 표시를 했다.

그가 다시 동정하는 표정으로 미소 지었다.

"어린 소년이 됐네!" 그가 미소 띠며 말했다.

그의 입이 이제 내 입 아주 가까이에 있었다. 나직이 그가 계속 이야기했다.

"프란츠 크로머 아직도 기억해?"

나는 그에게 눈을 깜박여 보였다. 미소 지을 수도 있었다.

"꼬마 싱클레어, 잘 들어! 나는 떠날 거야. 너는 어쩌면 다시 한번 나를 필요로 할 거야. 크로머에 맞서든 그 밖의 다른 일이든 뭐든. 그럴 때 네가 나를 부르면 이제 나는 그렇게 거칠게 말을 타거나 기차를 타고 달려오지 못해. 그럴 때 넌 너자신 안으로 귀 기울여야 해. 그러면 알아차릴 거야. 내가 네 안에 있는 걸. 알아듣겠니? 그리고 또 뭔가 있어! 에바 부인이 말했어. 네가 언젠가 잘 지내지 못하면 나더러 네게 당신의 키스를 해 달라고. 나에게 주어 보낸 키스를……. 눈을 감아, 싱클레어!"

나는 선선히 눈을 감았다. 내 입술 위에 가벼운 입맞춤이 느껴졌다. 내 입술에서는 계속해서 조금씩 피가 흐르고 있었고, 피는 결코 줄어들지 않았다. 그리고 나는 잠이 들었다.

아침에 사람들이 깨웠다. 붕대를 감아야 했던 것이다. 마침내 완전히 잠이 깼을 때 나는 얼른 옆 매트리스로 몸을 돌렸다. 한 번도 본 적 없는 낯선 사람이 그곳에 누워 있었다.

붕대를 감을 때는 아팠다. 그때부터 내게 일어난 모든 일이 아팠다. 그러나 이따금 열쇠를 찾아내 완전히 나 자신 속으로 내려가면, 어두운 거울 속에 운명의 영상들이 잠들어 있는 곳으로 내려가면 그곳에서 나는 그 검은 거울 위로 몸을 숙이기만 하면 되었다. 그러면 나 자신의 모습이 보였다. 이제 그와 완전히 닮아 있었다. 그와, 나의 친구이자 인도자인 그와.

## 작품 해설
# 나를 찾아가는 길

『데미안』은 1차 세계 대전 중인 1916년에 쓰이고 전쟁이 끝난 직후인 1919년에 출판되었다. 당시에 이미 작가로서 유명했던 헤르만 헤세(Hermann Hesse, 1877~1962)는 이 작품을 가명으로 발표했다. 작품성만으로 평가받아 보고 싶어서였다. 그 결과 에밀 싱클레어라는 유령 작가가 독일의 권위 있는 문학상인 폰타네상의 수상자로 지명되었다.(헤세는 이 상을 사양했다.) 그사이 눈 밝은 독문학자가 문체 분석을 통해 『데미안』이 헤세의 작품임을 밝혀내기도 했다.

자아의 삶을 추구하는 한 젊음의 통과의례 기록인 이 책은 "내 속에서 솟아 나오려는 것, 바로 그것을 나는 살아 보려고 했다. 그러기가 왜 그토록 어려웠을까?"라는 모토를 앞세운 짧은 철학적 성찰로 시작된다. 이 책에서 헤세는 "한 사람 한 사람의 삶은 자기 자신에게로 이르는 길"이며 누구나 나름으로 목표를 향해 노력하는 소중한 존재임을 상기시킨다. 이러한 전언은 이 소중한, 단 한 번뿐인 인간의 목숨이 총알 하나로 무더기로 소멸되는 전쟁의 충격 속에서 쓴 것이어서 더더욱 절실함이 배어 있다.

'나를 찾아가는 길', 인식의 첫 단계는 기존 규범으로부터의 떠남이다.

주인공 에밀 싱클레어는 자기 자신에게 이르는 길에 있으며 낡은 규범들(아버지 집, 종교, 도덕)의 속박에 괴로워하면서도 그것들을 점검한다. 그 속박들은 유년의 맑고 밝은 세계와 그를 나누며, 진정한 인간이 되는 길에서 투쟁해 벗어나야 할 것들이다. 이 돌파구 없는 고통스러운 상황에서 그는 더 나이 들고 더 경험 많은 데미안을 만난다. 저지르지도 않은 도둑질을 떠벌림으로써 혹독하게 시달리던 싱클레어를 데미안이 도와준다. 독심술과 혜안의 신비로운 힘으로 악마같이 괴롭히는 크로머를 쫓아 주는 것이다. 데미안은 크로머라는 첫 시련에 이어 나중에는 사춘기의 문제를 극복하게끔 도와주고, 카인과 아벨 이야기같이 선명하게 굳어진 기존의 사고의 틀까지 깨며 자신의 눈으로 새롭게, 다르게 볼 줄 알도록 깨우쳐 주며, 운명으로부터 도망치지 않고 운명을 받아들이라고 가르쳐 준다. 낯선 도시에서 홀로 지내던 학창 시절 정신적 지주에 대한 동경이 극도로 고조되었을 무렵 싱클레어는 책갈피에서 쪽지 하나를 발견한다. "새는 알에서 나오려고 투쟁한다. 알은 세계이다. 태어나려는 자는 하나의 세계를 깨뜨려야 한다. 새는 신에게로 날아간다. 신의 이름은 아브락사스."

싱클레어는 이 아브락사스를 찾으러 간다. 오르간 연주자 피스토리우스가 신성과 마성, 남성과 여성, 인성(人性)과 수성(獸性), 선과 악을 다 갖추고 있는 신비로운 신에 대해 이야기해 준다. 싱클레어가 그려 내는 꿈의 영상, 문장에 새겨진 새, '먼' 연인 베아트리체, 구름의 모습 등이 아브락사스의 모습을 가진다. 마침내 그는 데미안과 그의 어머니 에바 부인 속에서 그 모습을 보았다고 생각한다. 그는 목표에 도달한다. 그러면서도 도달하지 못한다. 어머니이자 애인인 영원의 여성 에바 부인(에바(Eva)는 영어의 이브이다.)은 끄는 동시에 물리친다. 싱클레어의 눈에 그녀는 이따금씩 더 깊이 자기 자신 속에 이르려는 '자신의 내면의 상징'처럼 비친다. 점차 에바 부인 가운데서 현실과 상징이 결합된다. 끝은 거의 불협화음적이다. 전쟁이 터진다. 뜨겁게 갈구하는 에바 부인이 아니라 뜨거운 총알이 싱클레어를 맞혀 그는 치명적 부상을 당한다. 그러나 전쟁은 또한 새로운 창조의 위업을 완수한다. 야전병원에서 싱클레어는 다시 한번 데미안과 마주친다. 데미안의 입맞춤은 에바 부인의 입맞춤이기도 하다. 그리고 구도자들, 개혁자들의 동맹에 속하는 모든 사람의 입맞춤이다.

데미안이 사라진 후 싱클레어는 말한다. "완전히 나 자신 속으로 내려가면 (……) 그곳에서 나는 검은 거울 위로 몸을 숙이기만 하면 되었다. 그러면 나 자신의 모습이 보였다. 이제 그와 완전히 닮아 있었다. 그와, 나의 친구이자 인도자인 그와." 이렇듯 데미안과 '나'가 거의 하나로 합치된 마지막 문장에서 사라진 데미안(Demian)은 독일어 단어 데몬(Dämon)을 연상시킨다. 데몬은 '악령'으로 번역될 수도 있지만 선이든 악이든 한 인간 속에 내재하는 초인적인 힘을 가리키기도 한다. 그러한 데미안이 마지막에 '그(Er)'라고 대문자로 표기됨으로써 신처럼 드높여져 있다. 한 젊음이 몹시도 고통스럽게 찾아낸 자아의 소중함이 간접적으로 표현되어 있다. 또한 싱클레어(Sinclair)라는 이름 역시 흔치 않은 독일 이름으로, 후반생을 광기에 사로잡혀 보낸 천재 시인 횔덜린의 친구 이름이다. 불행했던 시인이 마음을 의지했던 사람의 이름을 주인공이자 작가의 이름으로 빌려 썼기 때문에 읽는 사람에 따라서는 스스로를 불행한 천재 시인의 자리에 세워 볼 수도 있다.

머리말을 제외한 전체 여덟 장은 유년으로부터 자아에 이르는 과정을 누구에게나 낯설지 않은 성장의 경험들을 통해 성찰해 나간다.

1장 「두 세계」는 나쁜 친구에게 시달림을 당하는 흔한 경험을 통해 유년의 행복에 그어지는 첫 균열을 다룬다. 아버지 집이라는 밝은 세계 한가운데서 경험하는 다른 '어두운 세계', 집 안의 정돈된 평화 한가운데서 경험하는 최초의 어두운 세계의 고통스러운 체험으로부터 인식은 시작된다.

2장 「카인」은 크로머로부터 싱클레어를 구출해 준 뛰어난 소년 데미안이 열어 주는 또 다른 시각을 다룬다. 낙인찍힌 악인 카인을 남달리 뛰어난 사람으로 보는 데미안의 해석은 주입된 모든 규범에 대한 다른 시각을 열어 준다. 통념과는 다르게 생각해 보는 가능성을 열어 주는 것이다. 다시 아벨이 되어 예전의 낙원 같은 유년의 세계에 안주하고 싶은 싱클레어는 데미안을 기피한다. 크로머라는 작은 악으로부터 싱클레어를 구해 주기는 했지만 데미안은 그에게는 알고 싶지 않은 갈등 상황, "또 다른 세계, 악하고 나쁜 세계와 나를 묶어 주는 유혹자"인 것이다. 자기 자신에게로 인도하는 어려운 길을 가고 싶어 하지 않는 갈등이 부각된다.

　3장 「예수 옆에 매달린 도둑」에서 데미안은 기존 규범을 단순히 수용하지 말라고 종용하며 또 다른 예를 준다. "천천히 눈뜨는 성(性)에 대한 감정이 하나의 적이자 파괴자로, 금기로, 유혹과 죄악으로 들이닥"친 시절, 허용된 밝은 세계로 나올 수 없는 원시적 충동이 이제는 외부로부터 오는 것이 아니라 자신 속에 살고 있다는 것을 발견해야만 했던 싱클레어는 데미안을 통해 의식 지평이 한 차원 더 확대되는 것을 경험한다. 한때 크로머였던 것이 이제는 "나 자신 속에 박혀 있"음을 느끼면서 오랫동안 멀리 있던 데미안이 다시 서서히 다가섰고 다시 힘과 영향력을 발휘한다. 데미안은 독심술과 주의력 집중의 비결을 알려 주며, 또 하나의 종교화, 골고다 언덕에서 예수 곁에 매달렸던 도둑들을 예로 싱클레어의 의식 지평을 넓혀 준다. 마지막 순간에 회개한 도둑보다 그 자신의 길을 끝까지 간 도둑 쪽이 '강한 개성을 가진' 도둑이고 뛰어난 카인의 후예일 수도 있다는 것이다. 그러면서 기독교의 일면적 교리의 대안이 되는 포괄적 신앙에 대한 의식을 심어 줌으로써 사고의 틀을 열어 준다. 싱클레어는 각성을 통해 기쁨을 잃는다. 부모님의 그늘에서 행복하려 했던 마지막 시도가 실패하고, 견진 성사 이후 데미안마저 떠나자 싱클레어는 공허와 고립감, 쓸쓸함 속에서 홀로 침잠하여 기다린다.

4장 「베아트리체」는 비애와 절망에 좀먹히고, 작은 타락을 경험하는 도시 생활을 그린다. 싱클레어에게는 이제 학교에서 쫓겨나는 일만 남았는데, 그것을 기다리는 나날 속에서 유년과의 최종적 결별이 이루어진다. 어느 날 우연히 본 소녀 '베아트리체'가 아름다움과 정신성, 정결함에의 동경을 일깨우는 이상상으로 자리 잡는다. 그 이후 싱클레어가 그려 내는 영상은 "절반은 남자고 절반은 여자이며, 나이가 없고, 의지가 굳세면서도 몽상적이며, 굳어 있으면서도 남모르게 생명력 있어" 보이는 얼굴, '데미안의 얼굴, 나의 삶을 결정한 것, 나의 내면, 나의 운명 혹은 내 속에 내재하는 수호신, 친구의 모습, 애인의 모습, 운명의 모습'으로 확대된다. 데미안이 그렸던 자기 집 현관문 위의 마모된 문장에 새겨진 새의 모습과 결합된다. "몸의 절반은 어두운 지구 땅덩이 속에 박혀 있는데, 커다란 알에서부터인 듯 땅덩이에서 나오려고 푸른 하늘 바탕 위에서 애쓰고 있"는 날카롭고 대담한 매의 머리를 가진 노란빛 맹금의 모습과 결합된다. 껍데기를 깨고 나오려는 한 시절의 방황과 고투가 하나의 상징에 농축되어 있다.

5장 「새는 알에서 나오려고 투쟁한다」는 이 새의 그림을 데미안에게 보내고 뜻밖의 답장을 받는 것으로 시작된다. "새는 알에서 나오려고 투쟁한다. 알은 세계이다. 태어나려는 자는 하나의 세계를 깨뜨려야 한다. 새는 신에게로 날아간다. 신의 이름은 아브락사스." 우연히 역사 시간에 이 이름을 듣게 되어 그것이 "신적인 것과 악마적인 것을 결합하는 상징적 과제를 지닌 어떤 신성"이라는 것 정도만 알게 된 싱클레어는 아브락사스라는 낯선 신을 찾아 헛되이 도서관을 뒤지고, 자신의 내면의 목소리, 그 꿈의 영상에 집착한다.

그러다 오르간 연주자 피스토리우스와 만나게 되고, 자신의 어두운 영혼에 대한 절실한 귀 기울임과 배화(拜火)를 경험한다. 또 하나의 스승을 만난 것이다. "모든 대화가, 가장 진부한 대화마저도 나직하고 꾸준한 망치질로 내 마음속의 한 점을 계속 두드렸다. 모든 대화가 나의 형성에 도움이 되었다. 모든 대화가 내 허물을 벗는 일에, 알껍데기를 부수는 일에 도움이 되었다."

6장 「야곱의 싸움」은 나에게 축복을 내리지 않으면 보내지 않겠다며 천사와 씨름한 야곱의 이야기를 배경으로 한다.

"수백 가지 일에서 조숙하고, 다른 수백 가지 일에서 몹시 뒤처지고 무력한" 열여덟 살의 평범치 않은 젊은이에게 피스토리우스는 말한다. "다시 한번 무언가 정말 근사한 생각 혹은 죄 많은 생각이 떠오르거든 싱클레어, 누군가를 죽이거나 어떤 어마어마하게 불결한 짓을 저지르고 싶거든 한순간 생각하게. 그렇게 자네 속에서 상상의 날개를 펴는 건 아브락사스임을! 자네가 죽이고 싶어 하는 인간은 결코 아무개 씨가 아닐세. 그 사람은 분명 하나의 위장에 불과하네. 우리가 어떤 사람을 미워한다면 우리는 그의 모습에서 바로 우리 자신 속에 들어앉아 있는 무언가를 보고 미워하는 거지. 우리 자신 속에 있지 않은 것, 그건 우리를 자극하지 않아." 싱클레어는 결판이 나도록 싸워야 하는 정신(신) 앞에 선 듯 그 앞에 서 있었다. 그러나 그런 친구이자 스승과도 파국이 와 결별이 이루어지고, 한때 자신이 데미안을 따랐듯 자기 자신을 따르는 친구와의 만남도 거치며 싱클레어는 더 나아간다. 자신의 내면에서는 인도자의 모습을 본다. 다시 데미안이 보인다. "데미안을 닮았으며 그 눈에 내 운명이 적혀 있었다."

7장 「에바 부인」은 만남과 공동체에 대한 성찰이다. 싱클레어는 마침내 자신이 그린 꿈속 영상의 모습을 현실에서 찾아낸다. 데미안의 어머니 에바 부인이다. 그는 데미안을 다시 만난다. 에바 부인 주변의 '자신의 길을 가는' 뛰어난 사람들도 만난다. 그러나 이 행복에는 그늘이 드리운다. 허약한 사람들은 어디서나 "두려움에서, 무서움에서, 당황에서 비롯"되는 공동체를 만드는데 그런 공동체는 패거리 짓기일 뿐이며, 내부가 상해 있고, 곧 무너질 것 같기 때문이다. 데미안은 사람들은 서로에게로 도피하고 있을 뿐이라고 한다. 그리고 지금의 공동체들이 와해되고 나면 공간이 생길 것이라고 생각한다. 종말의 예감 속에서 싱클레어는 푸른 혼돈을 떨치고 크게 날갯짓하며 짙게 구름 낀 하늘 속으로 사라지는 새의 영상을 본다. 낡은 한 세계의 와해를 피부로 느낀다.

이 대목에서 보이는 '희망'인 뛰어난 개인들과 '절망'인 사회의 간극은 자신의 길을 가는 사람과 그러지 않는 많은 사람의 무리 짓기를 드러내기도 하지만, 전쟁에 임박한 혼돈기 사회에서 속출한 단체들, 이합집산하는 동맹들에 대한 비판으로도 읽을 수 있다. 실제로 작가 헤르만 헤세는 전쟁이 터지자 곧 자원했으며 부적격 판정으로 실전에는 참전하지 못했지만, 스위스에서 전쟁 포로들과 억류자들을 위해 헌신적으로 노력했다. 온갖 신문, 잡지에 기고하고 호소문을 작성한 것은 물론 스스로 출판사를 만들어 《억류자들을 위한 잡지》를 스물두 권이나 냈다.(이 활동을 위해 팔려고 그림을 그리기도 했다.)

8장 「종말의 시작」에서 싱클레어는 마음속으로 에바 부인을 부른다. 에바 부인이 말했던 것이다. "언젠가 내가 아니라 당신의 사랑이 나를 끌면, 그러면 내가 갈 거예요. 나는 선물을 주지는 않겠어요. 쟁취되겠습니다." 그러나 에바 부인 대신 데미안이 달려와 싱클레어에게 전쟁이 터진 것을 알려 준다. 사태는 급격히 진전되어 데미안이 전장으로 나가고, 싱클레어 역시 전장으로 나간다. 겨울 전장에서 부상당한 싱클레어는 데미안을 다시 한번 만난다. 그의 키스와 그를 통한 에바 부인의 키스를 받지만, 다음 날 아침 잠이 깨어 보니 이미 데미안은 그곳에 없다. 그러나 "나의 친구이자 인도자인 그와" 닮은 자신의 모습을 발견한다. 이제 '자신 속에 있는 뛰어난 존재'와 하나가 된 것이다.

헤세는 구도자 싱클레어의 모습을 마지막에서는 1차 세계 대전과 연결하기도 했지만, 그 대부분의 과정은 낭만주의 및 고대 신화 세계와 결합했다. 이 결합은 시대착오적이며 실패라고도 평가된다. 명료하지 못한 언어와 지나친 상징성이 비판되기도 한다. 그럼에도 『데미안』은 여전히 독일어권의 작품들 중 가장 많이 읽히는 작품의 자리를 지키고 있다.(작가 헤세의 성가(聲價) 역시 아직도 독일보다 독일 국외에서 오히려 더 높다.)
헤세의 대주제 '자신에게 이르는 길'은 그만큼 범세계적인 관심사인 것 같다.

　대학 신입생들에게 이런저런 책을 읽히는 일을 십 년쯤 한 적이 있다. 『데미안』에 대해 젊은이들이 쓴 빛나는 글귀들이 떠오른다. 사실 이 작품 내용의 해설은 그런 이들, 이 작품이 그리는 그 고통스러운 성장의 세계를 방금 뒤로했거나 바로 그 한가운데 있는 젊은이들의 몫이어야 할 것이다. '나를 찾아가는 길'을, 아무리 시대가 변해도 그 누구도 근본에서 피해 갈 수 없는 한 시절의 아픈 방황과 그 끝을 이 책은 그리기 때문이다.

　이미 많이 번역된 작품을 다시 번역한다는 것이 많이 망설여졌다. 그러나 바로 젊은이들에게 얼마나 중요한 작품인지 아는 터라 이 작은 책에 그 어떤 대작의 번역보다도 더 힘을 쏟았다. 지나친 윤문을 피하고 다소 건조하더라도 가급적 원문에 밀착하도록 번역했다. 두어 가지만 예를 들면 "Der Vogel kämpft sich aus dem Ei"라는 핵심적인 문장을 "새는 알을 깨고 나온다." 대신 아주 오랜 고심 끝에 "새는 알에서 나오기 위해 투쟁한다."로 원어에 가깝게 바꾸었다. 기존 번역의 매끄러움과 유연성을 모르지 않지만, 원어에 담긴 치열함을 살려내고 싶었기 때문이다. '껍데기를 깨다'라는 의미의 단어가 독일어에 있지만 헤세가 굳이 '투쟁'이라는 단어를 썼고, 껍데기를 벗어나는 과정이 그야말로 '투쟁'으로 표현되었으며, 더구나 그 고통스러운 투쟁의 기록이 바로 이 작품 전체이기 때문이다. 반면 머리말에 인간에 대한 설명으로 나오는 "자연의 투척 (der Wurf der Natur)" 같은 경우는 "자연이 던진 돌"로 풀어 옮겼다. 홍수 이후 살아남은 남녀가 등 뒤로 던진 돌이 인간이 되었다는, 로마 신화의 창조 설화가 배경에 있기 때문이다.

다양한 연령층의 젊은이들이 읽어 주어 문장을 다듬는 일에 큰 도움이 되었다.(헤세도 이 작품을 청년기에 쓰지는 않았다. 마흔쯤 썼다. 번역자도 그 나이쯤에야 옮겼다. 그러나 젊은이들이, 청소년들이 많이 읽는 책이다. 심지어 조숙하면 아주 어린 학생도 읽는다. 그런 이들의 점검이 필요했다.) 정현규 군, 최귀범, 홍기윤, 김소니, 김동자 양에게 감사한다. 몽당연필로 까맣게 고쳐 놓은 세인이에게도, 이 '글씨 많은' 책의 원고를 꼼꼼히 읽고 고쳐 준 세건이에게도 감사한다. 새로운 번역 정본을 만들어 보겠다는 의지로 충만한 민음사 식구들의 세심한 도움과 인내에도 감사드린다.

1997년 8월

전영애

교정본을 내면서 참으로 오래전에 한 번역을 별로 고치지 못했고 오래전에 쓴 이 후기 역시 거의 고치지 못했다. 원문 자체는 물론 번역에도 생의 한 시기의 치열함이 담겨 있어 훗날의 교정이란 불가능했던 것 같다. 예전에 교정을 보아 주었던 어린이들, 중고생들, 대학생들만 그 사이 든든한 사회인으로 우뚝 성장했다. 오래 이 책을 읽어 온 이들도 그랬으리라 생각하고 앞으로 읽을 이들도 그러기를 바란다. 다시 읽거나 새롭게 읽는 어른들은 여린 젊은 사람들의, 또 자신의 버팀목이 되어 주시리라.

2020년 9월

전영애

## 작가 연보

1877년     7월 2일 독일 남부 뷔르템베르크주의 칼브(Calw)에서
          선교사의 아들로 태어남. 외조부는 유명한 인도학자이
          자 선교사인 헤르만 군데르트.

1881~1886년     부모와 함께 스위스 바젤에 거주. 1883년에는 스
          위스 국적 취득.(그 전에는 러시아 국적이었음.)

1886~1889년     칼브로 되돌아와 학교에 들어감.

1890~1891년     괴핑엔에 있는 라틴어 학교에 다님. 뷔르템베르
          크 시민권(독일 국적) 취득.

1891~1892년     마울브론 수도원 학교에 입학. 일곱 달 뒤 도망
          침. (시인 외에는 아무것도 되지 않고자 했기 때문
          에.)

1892년     자살 기도(6월), 슈테텐 신경과 병원 입원(6~8월). 칸슈
          타트 김나지움 입학.

1894~1895년    칼브의 시계 공장에서 실습.

1895~1898년    튀빙엔 헤켄하우어 서점에서 책거래 견습.『낭만
               적인 노래들(Romantische Lieder)』출간.

1899년    소설『고슴도치(Schweinigel)』쓰기 시작.(원고 미발견.)
          『자정 이후의 한 시간(Eine Stunde hinter Mitternacht)』
          출간.

1901년    첫 이탈리아 여행.(피렌체, 제노바, 피사, 베네치아.)

1902년    『시집(Gedichte)』출간.

1903년    두 번째 이탈리아 여행.(피렌체, 베네치아.)

1904년    『페터 카멘친트(Peter Camenzind)』출간. 마리아 베
          르누이(Maria Bernoulli)와 결혼. 연구서『보카치오
          (Boccaccio)』와『프란츠 폰 아시시(Franz von Assisi)』
          출간.

1905년    첫 아들 브루노(Bruno) 출생.

1906년    『수레바퀴 아래서(Unterm Rad)』출간. 잡지《3월
          (März)》창간.

1907년    중단편집『이 세상에(Diesseits)』출간.

1908년    중단편집『이웃들(Nachbarn)』출간.

1909년    둘째 아들 하이너(Heiner) 출생.

1910년    장편『게르트루트(Gertrud)』출간.

1911년    시집『도중에(Unterwegs)』출간. 셋째 아들 마르틴
          (Martin) 출생. 인도 여행.

1912년    단편집『우회로들(Umwege)』출간. 스위스 베른으로
          이주.

1913년    『인도에서. 인도 여행의 기록(Aus Indien. Aufzeich-
nungen einer indischen Reise)』 출간.

1914년    장편 『로스할데(Roßhalde)』 출간. 전쟁 초에 군 입대를
자원했으나 복무 부적격 판정을 받아 베른에서 '독일
포로 구호' 기구에 복무하며 전쟁 포로들과 억류자들
을 위해 잡지 발행. 자신의 출판사를 만들어 1918년에
서 1919년까지 스물두 권의 소책자를 펴냄.

1914~1919년    수많은 정치적 논문, 경고 호소문, 공개서한 등을
독일, 스위스, 오스트리아 신문과 잡지에 발표.

1915년    『크눌프. 크눌프 삶의 세 가지 이야기(Knulp. Drei Ge-
schichten aus dem Leben Knulps)』 출간. 단편집 『길가
(Am Weg)』, 신작 시집 『고독한 사람의 음악(Musik des
Einsamen)』, 단편집 『청춘은 아름다워라(Schön ist die
Jugend)』 출간.

1916년    부친 사망, 아내와 막내아들의 병으로 신경쇠약 발병.
첫 심리 치료 받음.

1919년    정치적 유인물 『차라투스트라의 귀환. 어느 독일인이
독일 젊은이들에게 보내는 한마디(Zarathustras Wie-
derkehr. Ein Wort an die deutsche Jugend von einem
Deutschen)』 익명 출간, 이듬해 베를린에서 실명 출
간. 스위스 테신주의 몬타뇰라로 이주. 1931년까지 거
주. 『데미안. 한 젊음의 이야기(Demian. Die Geschichte
einer Jugend)』를 에밀 싱클레어라는 가명으로 출간.
『동화(Märchen)』 출간. 잡지 《새로운 독일적인 것을 위

하여(Vivos voco)》 창간 발행.

1920년  색채 소묘를 곁들인 열 편의 시『화가의 시들(Gedichte des Malers)』,『방랑(Wanderung)』, 단편집『클링조어의 마지막 여름(Klingsors letzter Sommer)』 출간.『혼돈을 들여다보기(Blick ins Chaos)』라는 제목으로 도스토예프스키에 대한 에세이 출간.

1921년  『시선집(Ausgewählte Gedichte)』 출간. 창작 위기. C. G. 융의 정신 분석 받음.『테신에서 그린 수채화 열한 점(Elf Aquarelle aus dem Tessin)』 출간.

1922년  『싯다르타(Siddhartha)』 출간.

1923년  『싱클레어의 수첩(Sinclairs Notizbuch)』 출간. 마리아 베르누이와 이혼.

1924년  스위스 국적 재취득. 루트 벵어(Ruth Wenger)와 재혼.

1925년  『요양객(Kurgast)』 출간.

1926년  『그림책(Bilderbuch)』 출간. 프로이센 예술원 문학분과의 국제위원으로 선출됨.

1927년  『뉘른베르크 여행(Die Nürnberger Reise)』,『황야의 이리(Steppenwolf)』 출간. 50회 생일. 후고 발이 쓴 헤세 전기 출간. 루트 벵어와 이혼.

1928년  『관찰(Betrachtungen)』과『위기. 일기 한 토막(Krisis. Ein Stück Tagebuch)』 출간.

1929년  신작 시집『밤의 위로(Trost der Nacht)』 출간.

1930년  『나르치스와 골드문트(Narziß und Goldmund)』 출간.

1931년  니논 돌빈(Ninon Dolbin)과 재혼. 몬타뇰라 거주.

『내면으로의 길(Weg nach innen)』 출간.

1932년    『동방순례(Die Morgenlandfahrt)』 출간.

1932~1943년    『유리알 유희(Glasperlenspiel)』 집필.

1933년    『작은 세계(Kleine Welt)』 출간.

1934년    시선집『생명나무에 관하여(Vom Baum des Lebens)』
          출간.

1935년    『우화집(Fabulierbuch)』 출간.

1936년    『정원에서 보낸 시간(Stunden im Garten)』 출간.

1937년    『기념첩(Gedenkblätter)』, 『신 시집(Neue Gedichte)』,
          『마비된 소년(Der lahme Knabe)』 출간.

1939~1945년    헤세의 작품이 독일에서 불온하다고 간주되어
          『수레바퀴 아래서』, 『황야의 이리』, 『관찰』, 『나
          르치스와 골드문트』가 더 이상 인쇄되지 못함.
          히틀러 집권 기간인 1933~1945년 독일에는 총
          스무 권의 헤세 저서가 나와 있었는데 십이 년
          동안 총 481권의 문고본밖에 팔리지 않음. 그래
          서 전집은 스위스 프레츠 운트 바스무트 출판사
          에서 펴냄.

1942년    『시집(Gedichte)』이 취리히에서 헤세의 첫 시선집으로
          나옴.

1943년    『유리알 유희』 출간.

1945년    시선집『꽃 핀 가지(Der Blütenzweig)』, 미완성 소설
          『베르톨트(Berthold)』, 『꿈의 여행(Traumfährte)』 출간.

1946년    『전쟁과 평화(Krieg und Frieden)』 출간. 헤세의 작품이

다시 독일에서 나오기 시작함. 프랑크푸르트 시의 괴테 상 수상. 노벨 문학상 수상.

1951년    『후기 산문(Späte Prosa)』과 『서간집(Briefe)』 출간.

1952년    75회 생일 기념으로 선집 발간.

1954년    동화 『픽토르의 변신(Piktors Verwandlungen)』 출간. 『헤르만 헤세 – 로망 롤랑 서한집(Briefe: Hermann Hesse – Romain Rolland)』 출간.

1955년    후기 산문 『마법(Beschwörungen)』 출간. 독일 서적상의 평화상 수상.

1956년    헤르만 헤세상 재단 설립.(바덴뷔르템베르크 독일 예술 후원회.)

1962년    바이블러의 헤르만 헤세 전기 『헤르만 헤세. 전기』 나옴. 8월 9일 몬타뇰라에서 사망. 이후 독일에서 많은 작품들, 연구서들이 나옴.

세계문학전집 **44**

# 데미안

1판 1쇄 펴냄   1997년 8월 1일
1판 3쇄 펴냄   2000년 6월 1일
2판 1쇄 펴냄   2000년 12월 20일
2판 132쇄 펴냄   2024년 10월 14일

지은이   헤르만 헤세
옮긴이   전영애
발행인   박근섭, 박상준
펴낸곳   ㈜민음사

출판등록   1966. 5. 19. (제 16-490호)
서울특별시 강남구 도산대로1길 62(신사동) 강남출판문화센터 5층 (우편번호 06027)
대표전화 02-515-2000   팩시밀리 02-515-2007
www.minumsa.com

ISBN 978-89-374-6044-9 04800
ISBN 978-89-374-6000-5 (세트)

* 잘못 만들어진 책은 구입처에서 교환해 드립니다.

# 세계문학전집 목록

세계문학전집은 계속 간행됩니다.